戦争の歌がきこえる

米国認定音楽療法士
佐藤由美子

柏書房

「僕は日本兵を殺した」

彼は、唐突に言った。

その日、ホスピス病棟《びょうとう》に入院してきたばかりの末期がんの患者さんだった。

「彼らは若かった。僕も若かった……」

そう言うと、突然泣き出したのだった。

痩《や》せ細ったその体は、ぶるぶると震えていた。

すがすがしく晴れた日の午後。

病室の窓の外にはカーディナル（赤い鳥）が飛んでいた。

つい先ほどまで、彼は窓際のリクライニングチェアに座り、鳥の話をしていた。

私がアイリッシュハープを弾くあいだも、静かにそれを聴いていた。

ごくごく普通のセッションだった。

それが、私が「日本人」であることを告げた瞬間に、様子が一変したのだ。

彼は泣き声を押し殺そうとしていたが、抑えることができないようだった。

私は膝《ひざ》の上に置いたアイリッシュハープを握りしめていた。

何も言わずに、ただ座っていた。

何をすべきか、自分の心のうちを探っていた。

しかし、思いついたことのすべてが、やるべきではないことだった。

そのとき、不意にひとつの場面《シーン》がよみがえってきた。

それは、私が以前スーパーバイザーと交わした、ある短い会話についての記憶……。

プロローグ

日本人の私が、戦争を経験したアメリカ人とかかわること

二〇〇二年の夏、私はノースカロライナ州のアシュビルという小さな町に引っ越した。ブルーリッジマウンテンの麓《ふもと》にあるその町は、その名のとおり青々と広がる山々に囲まれていた。

高校卒業後、私はすぐアメリカに留学した。ウェストバージニア州にある大学に通い、卒業したあとは隣のバージニア州にあるラッドフォード大学大学院で学んだ。修了したのはその年の春だったが、米国認定音楽療法士（MT‐BC）の資格をとるためには、もうひとつやらなければいけないことがあった。七カ月間にわたるインターンシップだ。ふとした理由からホスピスでインターンシップをしたいと思い立った私は、その地をアシュビルに決めたのだった。

七月の暑い日。スーパーバイザーのジムとの最初のスーパービジョンだったと思う。[1] 彼のオフィスは駐車場のすぐ隣にあり、外に面した壁はガラス張りになっていた。眩《まばゆ》い陽射しが窓から入り込んでくるが、強力な冷房のためか部屋はひんやりとしていた。ジムは音楽療法士であると同時に、グリーフカウンセラーでもあった。[2] 経験豊富で優しい目をした彼の存在が、この仕事に対する私の恐怖感を少しだけやわらげてくれた。

そもそも私がホスピスで働こうと思ったのは、「死」に対する恐怖心からだった。人間の死というものを見たことがなかった私にとって、それは人生で起こりうることの中で最も恐ろしいことだった。いつか起こるであろう「大切な人の死」について考えるのは恐ろしいが、それを想像することはできた。しかし、「自分が死ぬ」ということは、想像さえできないことだった。ホスピスで働き、実際に死と接することで、自分の中でなんらかの変化が起こるのではないか、と感じていたのだ。

「ひとつだけ心配なことがあるんだ」

その日、ジムは急に真剣な顔になって、言った。

「きみがここで出会う患者さんの中には、第二次世界大戦で戦った人や戦争で大切な人を失った人がいる。きみが日本人であるということで、彼らがどんな反応をするかわからない……。そのことについてどう思う？」

　唐突な質問に私は驚いた。この仕事を始めるにあたって、さまざまな心配事はもちろんあったが、彼のそれと私のそれとはあまりにかけ離れていたのだ。

　第二次世界大戦――だってそれは、ずいぶん昔に起こった出来事ではないか。私にとってその戦争のイメージは、新聞で読んだりテレビで観たりするものであり、あくまで歴史上の遠い存在でしかなかった。六〇年近い時を経て、その歴史的な出来事が自分になんらかの影響をもたらすかもしれないなどとは、考えたこともなかった。

　そのとき頭に浮かんだのは、福島に住む祖父のことだった。祖父が戦争に行ったことは、母から聞いたことがある。私が渡米することを決めたとき、祖父は驚いていたが、彼がアメリカ人のことを悪く言ったことはなかった。また、アメリカに渡って六年間、この地で生活してきた私自身、さまざまなアメリカ人と出会ったが、第二次世界大戦の話題が出たことなどなかった。

「わかりません。そのことについて考えてみたこともないので……」

　私が戸惑いながら答えると、ジムは優しく微笑んだ。

「これはきみに考えてみてほしいことなんだ。日本人という理由で嫌な思いをすることがあるかもしれない。もしそういうことがあったら、いつでも言ってほしい」

彼はスーパーバイザーとして、私のことを気遣ってくれているのだ。戦争を経験した患者さんやその家族が私に対して怒りをぶつけたりした場合、それが私に与える影響を心配してくれているのだ。インターンシップというのは、未来のセラピストを育てることも壊すこともできる、とても貴重で、同時に不安定な時期でもあるのだから……。


今から思えば、あのときジムが心配したのは当然のことだった。

第二次世界大戦で戦ったアメリカ兵の平均年齢は二六歳といわれる。終戦時にその年齢だと考えた場合、私がインターンシップを始めた二〇〇二年には八三歳の計算だ。事実、インターン時代を含め、その後約一〇年間アメリカのホスピスで働くあいだ、私は数多くの戦争経験者と出会った。

当時の私は、長期記憶というものがどのように働くのか、よく理解していなかった。インターンシップ時代の毎週のスーパービジョンの内容を、私はほとんど覚えていない。でも、ジムと交わしたあの日の会話ははっきりと覚えている。内容が衝撃的だったため、印象深い出来事として記憶に残ったのだ。

例えば、あなたは二〇一一年の今日、何をしていたか覚えているだろうか？　おそらく思い出せないだろう。でも、二〇一一年の三月一一日にどこで何をしていたのかは思い出せるはずだ。強い感情が付着している記憶は、長いあいだ残る。戦争のように感情を激しく揺さぶる出来事を経験した場合、人はそれを決して忘れない。忘れたくても忘れられないのだ。

また、音楽には記憶と感情を呼び起こす力がある。自分や大切な人の死が迫っている状態は、言うまでもなく感情を激しく揺さぶるような経験だ。そこに音楽を加えた場合、強い反応が引き起こされ、忘れがたい記憶が呼び戻される可能性があることは想像できると思う。

さらに、当時の私は、セラピーにおけるセラピストとクライエント（対象者）との関係性を「理論」としてはわかっていても、「経験」として理解していなかった。音楽療法も含めセラピーとは、セラピストとクライエントの関係性の中で起こることであり、そのあいだに育《はぐく》まれるラポール（rapport、相互信頼）が最も重要な要素となる。関係性を築く、と口で言うのは簡単だが、実際には難しく、複雑なプロセスを経なくてはならない。人と人とがかかわりをもつとき、国籍、人種、出身地といったバックグラウンド、性格、信仰の有無、人生経験など、お互いのさまざまな要素が関係性に影響をもたらす。それは、セラピストとクライエントであっても同じである。

このように、セラピーが非常に親密かつ複雑なスペースの中で行なわれるものだからこそ、ジムは私が「日本人」であるという事実が、戦争を経験した患者さんや家族との関係性に影響を及ぼす可能性があると考えたのだ。そして、彼の見解は正しかった。ただ、私が彼の問いの意味を正確に理解し、その答えを見いだすまでには、長い年月がかかった。

＊＊＊

第二次世界大戦は世界中の人々を巻き込んだ戦争だった。軍人・民間人を含めた死者数は、アメリカでは四二万人、日本では三一〇万人、世界的な合計は統計によって異なるが、五〇〇〇万人以上といわれる。

いずれにせよこの戦争は、日本人にとっては文字どおり「国家の存亡《そんぼう》」を懸《か》けた、アメリカ人にとっては、彼らが最も大切にしている「理想（ideals）」を懸けた戦いだった（詳しくは第四章や二四五頁の補遺《ほい》を参照してほしい）。それを守るために、個人の犠牲《ぎせい》は当然のこととされ、むしろ素晴らしいこととされた。日本がそういう状況だったことは誰もが知ることだろうが、個人主義の国、アメリカでもそうだったのである。

まして今日《こんにち》のように、退役《たいえき》軍人や家族へのカウンセリングなどない時代だ。戦後、人々はつらい記憶を胸に秘め、未来に向かって歩むほかなかった。そういう意味では、日本もアメリカも似たような風潮があったのだと思う。

そのため、戦争経験者の多くは戦後、その記憶を語らずに生きてきた。でも、そのような記憶は人生の最期によみがえる。「（戦争のことを）昔は考えなかったけど、今は考える」という言葉を、私は患者さんから何度聞いたかわからない。人間は死に直面したとき、過去を必ず振り返る。そして、長いあいだ逃《のが》れようとしてきた記憶こそ、頭に浮かぶものなのだ。私たちは人生の最期、過去から逃れることはできない。

二〇一八年の一一月三〇日、元アメリカ大統領のジョージ・H・W・ブッシュ氏が享年《きょうねん》九四歳で亡《な》くなった。彼は一八歳で海軍に入隊し、パイロットとして第二次世界大戦で戦った。父島《ちちじま》（東京都・小笠原《おがさわら》諸島）で撃墜《げきつい》され仲間を失ったが、自らは生還した。その経験が彼の人生に大きく影響を与えたといわれている。当時、海軍で最も若いパイロットのひとりだったブッシュ氏が亡くなったということは、現在、第二次世界大戦を生きた世代がほぼいなくなっていることを意味する。

アメリカ合衆国退役軍人省によると、第二次世界大戦に従事したアメリカ兵の数は一六〇〇万人。そのうち、二〇一八年時点で生存している人数は、五〇万人弱。日々三四八人が亡くなっている計算となる。[3] 戦争の記憶は、それを経験した人々の肉体とともに消えていっているのだ（日本の場合はどうだろう？）。

しかし奇妙なことに、インターンシップ時代に遠い存在だと感じた戦争は、今、私の中でより近いものとして感じられる。あれ以来、私はアメリカだけでなく、日本のホスピスでも働いた。そこで、本当にたくさんの戦争経験者に出会った。二〇一三年には、米空軍兵士と結婚したことによって、軍人やその家族の生活や心境を垣間《かいま》見ることにもなった。いまだに戦争の痕跡《こんせき》の遺《のこ》る数々の場所にも足を運んだ。その過程で過去と現在がつながり、気づけば戦争は、私にとって手が届くほど近い存在となったのである。

さらに、私はこの原稿をアメリカで書いている。近年、世界中で大きく勢力を伸ばしているナショナリズムの風潮を見逃すことはできない。トランプ大統領の「アメリカ・ファースト」やイギリスの「ブレグジット」に見られるように、ナショナリズムの愛国心の裏には、他者への恐怖心や不信感が見え隠れしている。自己中心的なナショナリズムは、ファシズムへとつながる可能性がある。このような潮《うしお》の流れは、台風の翌日の波のように強力な勢いで突き進み、知らず知らずのうちに人々を呑《の》み込むのである。

そんなに遠くない昔、そのような潮が世界中を巻き込んだ。年をとった男たちが戦争を宣言し、若者たちは命を失い、青春を奪《うば》われた。女たちは大切な人の帰りを待ち、その結果がなんであれ、強く生きることを求められた。消えることのない、つらい記憶と引き換えに……。私はこのような人たちの人生の最期に立ち会ったことがある。そして彼らの声は、今でも私の中で生きつづけている。例えば、冒頭に書いた男性の悲痛なまでの表情を、息づかいを、その言葉を、昨日のことのように思い出せるのだ。

本書では、私が音楽療法士としてアメリカのホスピスで出会った、戦争経験者たちのストーリーを紹介したいと思う。第二次世界大戦を生き抜いたアメリカ人は、人生の最期に何を語ったのか？　日本人である私に対して、どのような気持ちを抱いたのだろうか？

彼らのほとんどはもう、この世にはいない。私が受け取った言葉を、ひとりでも多くの日本人に届けられたら幸いだ。

1　スーパーバイザーとは教官・指導官、スーパービジョンはセラピスト育成のために設けられる特別な育成時間のこと。

2　グリーフとは、直訳すれば「深い悲しみ」や「悲嘆《ひたん》」を意味する言葉で、大切な人を失ったときに起こる身体上・精神上の変化を指す。グリーフカウンセラーとは、グリーフを専門とする資格をもったカウンセラーのことである。

3　その後、同省のサイトをふたたび確認したところ、二〇一九年時点の生存者数は三八万九二九二人となっていた。

全体の補足　第二次世界大戦に関する統計は主にThe National WWII Museum、戦死者は同サイト内“Research Starters: Worldwide Deaths in World War II”を、生存者は“WWII Veteran Statistics”を参照した。先の大戦に従事したアメリカ兵の数は、二〇一七年四月二六日に米国政府が公表した“American War and Military Operations Casualties: Lists and Statistics”を参照。ほか、吉田裕《よしだゆたか》『日本軍兵士――アジア・太平洋戦争の現実』、ジョン・ダワー『War Without Mercy, Race & Power in the Pacific War（容赦《ようしゃ》なき戦争――太平洋戦争における人種差別）』も適宜参考にした。

目次

音楽療法について

本編に入る前に、音楽療法について簡単に説明しておこう。音楽療法（Music Therapy）とは、クライエントの身体的、感情的、認知的、精神的、社会的なニーズに対応するために、音楽を意図的に使用する療法である。ニーズによって目的は異なるが、終末期の患者さんやご家族の場合は、音楽を通じての精神的サポート（不安、怒り、うつ状態の軽減など）、社会的サポート（孤立や孤独の軽減など）、身体的サポート（痛みや息切れなどの症状の緩和《かんわ》）などが中心となる。いずれにしてもパーソン・センタード、つまりクライエント中心のアプローチであり、臨床《りんしょう》かつエビデンスにもとづいた音楽の使用法である。ちなみに、音楽療法中の時間のことを「セッション」と呼ぶ。

音楽療法の歴史は、実は戦争と深くかかわっている。音楽が人間の癒《いや》しにつながるという考えは大昔からあり、アリストテレスやプラトンの文書にも見ることができるが、音楽療法というプロフェッション（専門職）は、第一次・第二次世界大戦後の欧米に由来する。

当時、戦争によって身体的および精神的なトラウマに苦しんでいた軍人のため、音楽家が軍人病院に行って楽器を弾いた。医療現場で働いていた人々や音楽家は、そこで音楽の力に気づくと同時に、これを「療法」として行なうにはトレーニングが必要だと実感した。それが大学での音楽療法学科設立の契機《けいき》となったのだ（詳しくはAmerican Music Therapy Association の公式サイトを参照）。

これから紹介するのは、私がホスピスで音楽療法士をしているときに出会った人たちのストーリーだ。[1] 念頭に置いておいてほしいのは、私は「戦争の話を聞き出すこと」を目的として彼らに接したのではなく、あくまでセラピーの過程でその話題になった、ということである。彼らの人生において「戦争」が重要な意味をもつ出来事であったからこそ、その話になったことに変わりはないが、私の目的は、その経験が「今」の彼らにとってどのような意味をもつのか、セラピーにどのような影響をもたらすか、それを考えることにあった。

このような理由から、彼らの戦時中の経験そのものについてはわからないことも多い。そもそも、終末期の患者さんにはエネルギーも残された時間も少ないという限界がある。彼らの回想《かいそう》の過程から全体像を捉えるのは難しく、それに立ち会う私は過去の出来事のいくつかを垣間見たにすぎない。セラピストとしての私の役割は、それでもなお、それらパズルのピースのようなものを組み立てることによって、彼らがどのような人生を送ってきたのか、どういう人なのかを理解することにあった。

1 アメリカのホスピスケアは、がんの患者さんに限らず、どんな病気であっても受けられる。また、ホスピスとは単なる場所ではなく、末期の病気を患《わずら》う人々に提供されるケアそのものを指す。

本書で紹介する事例は、患者さんやその家族に配慮し、細部など一部変更していることをご了承いただきたい。登場する人物もすべて仮名としている。各章末には、著者による補足として注釈を掲げた。

第一部

太平洋戦争

Pacific War

第一章

良い戦争という幻想――「僕は日本兵を殺した」

戦争を宣言するのは年をとった男たちだが、
戦って死ぬのは若者だ。
ハーバート・フーバー[1]

音楽療法のインターンシップを始めたころから、印象深い患者さんやご家族との出会いをノートに書きとめてきた。これまでに起こった出来事を統合的に理解し、そこから何かを学ぶためには、いつかこの情報が必要になると思ったからだ。そのおかげで今、こうして彼らのストーリーを共有することができる。

でも、ひとりだけ書きとめておかなかった人がいる。

もしかすると、彼との出会いは私にとってあまりにも衝撃的だったため、向き合うのに時間がかかったのかもしれない。もしくは、一文字も書きとめなくても、彼のことを忘れることはないと直感したからかもしれない。

ロンは、かつてサイパンで日本兵と戦い、生き延びた患者さんだった。

突然の告白

二〇〇三年、インターンシップを終えたのち、私はオハイオ州シンシナティ市にあるホスピスで音楽療法士として働きはじめた。とても大きなホスピスで、五〇〇人ほどの患者さんにケアを提供していた。たいていの患者さんは自宅や老人ホームでケアを受けていたが、市内や近隣の市に三つの病棟ももっていた。私の主な仕事は、病棟で患者さんをみることだった。

働きはじめて一年ほど経った夏の日の午後、私は市の中心部にある病棟で働いていた。その日は、レスパイトケア（respite care）で入院してきたホームケアの患者さんがいた。レスパイトケアとは、在宅でケアを受けている患者さんのケアギバー（介護者）が休息をとるために利用するサービスで、患者さんは五日間、病棟に滞在することができる。カルテには「七九歳、男性、末期の肝臓《かんぞう》がん」とあった。名をロンと言った。

病室を訪ねると、彼はリクライニングチェアに座り、窓の外を見ていた。小さなスズメのような鳥たちと一緒に、カーディナルという赤い鳥（ショウジョウコンカンチョウ）がエサ箱に集まっていた。カーディナルは、オハイオの人たちにこよなく愛されている色鮮やかな州鳥だ。真っ青な空の下で、ひときわ目立っていた。

ロンはとても痩せていた。着ているシャツは2サイズほど大きく、ジーンズもぶかぶかだった。顔には肉がなく、頬《ほお》と顎《あご》の骨が突き出していて、こげ茶色の目がとても大きく見えた。

挨拶《あいさつ》をし、音楽が聴きたいかとたずねると、彼はうなずいた。

「音楽はなんでも好きだよ」

アイリッシュハープを持参していたので、ハープで何曲か弾いた。その間、彼は窓越しに鳥をずっと眺めていた。心はどこか別のところにあるように見えた。

「今日の体調はどうですか？」

「調子はいいよ」

「鳥が好きなんですか？」

「きれいだからね」

そう言って微笑《ほほえ》むと、また無口になった。もともと口数の少ない人なのだろうが、彼の沈黙《ちんもく》にはそれ以上の理由があるようにも思えた。私の存在自体、迷惑ではないようだが、あまり話をしたくないことはわかった。

「もう少し弾きましょうか？」

「そうだね」

ロンは相変わらず外のほうに顔をやりながら、静かに音楽を聴いていた。演奏が終わり、ハープを膝に置くと、彼は私のほうを向いてこう言った。

「昔のことなんだが、戦争中、中国人の女性に出会ったことがあるんだ。とてもよくしてもらった。もしかすると、きみも中国人？」

「いいえ、日本人です」

私がそう答えた瞬間、ロンは丸い目を大きく見開き、ハッと息を吸いこんだ。そのまま呼吸が止まってしまうのではないかと思えるほどだった。表情もこわばっている。リクライニングチェアから身を乗り出そうとしているが、体は硬直《こうちょく》して動かないようだ。明らかな緊張が見てとれた。そして彼は、絞《しぼ》り出すような声で言ったのである。

I killed Japanese soldiers.（僕は日本兵を殺した）

その言葉は、彼の中にずっとしまわれていたものが、期せずして外に飛び出てしまったような響きをもっていた。彼は瞬《まばた》きひとつせず、私をじっと見つめている。その目はまるで、死んだ人間を見るかのような、当惑したまなざしだった。

「彼らは若かった。僕も若かった……。彼らの家族のことを考えると……」

それ以上は言葉が続かない。リクライニングチェアの上で、彼の痩せ細った体が激しく震えはじめている。泣き出してしまったのだ。

私は、あまりにも突然の告白に驚いていた。気持ちを落ち着かせるために、膝に乗せたハープをしっかりと握り、地に足のついた感覚をなんとか取り戻そうとしていた。

しばらくして、ロンがふたたび口を開いた。

「本当に申し訳ない……」

彼は下を向き、声を上げて泣いている。いくら押し殺そうとしても、感情を抑えきれないようで、涙はとめどなくあふれてきた。

私は、何かしなければ、という衝動にかられた。

しかし、私にいったい何が言える？　かける言葉などあるだろうか？　どんな言葉も役に立たないと感じた。

では、近づいて手を握るか？　ティッシュを渡すというのはどうだろう？　思考が混線する中で、不意によみがえってきたのは、インターンシップ時代の記憶だった――。

「きみがここで出会う患者さんの中には、第二次世界大戦で戦った人や戦争で大切な人を失った人がいる。きみが日本人であるということで、彼らがどんな反応をするかわからない……。そのことについてどう思う？」

これは私がインターンだったころ、スーパーバイザーのジムが最も心配していたことだった。「きみに考えてみてほしいことなんだ」とも彼は言った。

当時の私は彼の問いに答えることができず、想像をめぐらせることしかできなかった。それは働き出してからも変わらなかった。でも、まさか今、現実に、このような患者さんの反応を目の当たりにすることになろうとは……。

同時に、私の中ではもうひとつ別の出来事も思い出されていた。

当時、私にはふたりのスーパーバイザーがいた。ひとりが音楽療法士兼グリーフカウンセラーのジムで、もうひとりがチャプレン[2]のジェーン。あるとき、「泣いている人にどう対応したらいいか」という話の中で、彼女がこんなことを言ったのだ。

「私たちのとる言動は、それがどれだけ善意にもとづくものであったとしても、相手を泣き止《や》ませてしまうことがあるの」

母親は泣いている赤ちゃんを見ると、優しい言葉やタッチで慰《なぐさ》め、泣き止ませようとする。それはもしかすると、泣いている人を目の前にしたときに起こる、人間の本能的な反応なのかもしれない。

でもそれは、セラピストの仕事ではない。感情の表現はセラピーにおいて大切なことであり、それができる環境をつくることこそ、セラピストの役割なのだ。

そして今、私の目の前でロンが泣いている。セラピストである私は、彼の涙を止めるべきではなかった。彼に必要なのは、泣くことなのだ。

外を見ると、カーディナルの姿はもうなかった。遠くに見える沼《ぬま》には白い雲が投射され、そのままそこに囚《とら》われてしまったかのようだった。

部屋には、苦しみがにじむロンの声だけが響きわたっていた。

……どれくらい時間が経っただろう。

ようやく泣き止んだロンが、袖《そで》で涙をぬぐっている。下を向いたままで、呼吸はまだ荒い。私はほかに言えることがなかったので、「最後に何か弾きましょうか？」とだけ聞いてみた。彼は静かにうなずいた。

心が落ち着くよう、なるべくシンプルな構成の音楽を弾く。ロンはリクライニングチェアに頭をゆだね、目を閉じていた。彼の呼吸が安定し、体の緊張がほぐれるまで、弾きつづけた。どれくらいの時間そうしていたかは覚えていない。彼といると、時間はその意味を失った。私が演奏をやめると、ロンは目を開いて、「ありがとう」とささやくように言った。私も同じ言葉を返し、部屋をあとにした。

その日の夕方、ロンを担当する看護師に話を聞いた。彼は長年アルコール依存症《いぞんしょう》に苦しみ、数年前に肝臓がんを宣告されそうだ。二度の離婚歴があり、現在は三番目の奥さんと生活している。ひとり息子がいるが、長年疎遠《そえん》になっているそうだ。

ロンが退役軍人であることは、看護師も奥さんから聞いて知っていた。ただ、その件で奥さんが知っていたのは、彼が「サイパンで戦った」ということだけだった。彼は戦争について、それ以外は何も語らなかったという。

看護師の話だけでも、彼が心にとても複雑なものを抱えて生きてきたことが推察された。私はロンともう一度話をし、戦争中や戦後に何が起こったのか知りたいと思った。その経験が、彼にとってどのような意味をもつのかを――。

しかし、そのチャンスは訪れなかった。セッションの数日後、ロンは自宅へと戻り、一週間後には亡くなってしまったのだった。

第二次世界大戦をめぐる「神話」

当時の私にとって、ロンとの出会いは衝撃的なものだった。彼が私に見せた姿は、アメリカ社会が描いてきた第二次世界大戦を生き抜いた退役軍人（World War II Veterans）の姿とはかけ離れたものだったからだ。

アメリカで第二次世界大戦は、「just war（正しい戦争）」とか「good war（良い戦争）」と呼ばれている。今日オハイオ州の高校で使用されている歴史の教科書にも、「アメリカの歴史上、最も良く戦った戦争」と書かれている。[3]

アメリカ人がこの戦争を誇りに思っている理由は、それが彼らにとって、最も大切な「Democratic ideals（民主主義の理想）」を懸けた戦いだったからである。言論の自由、報道の自由、宗教の自由、集会の自由——彼らにとって「freedom（自由）」とは漠然とした観念ではなく、明確な権利であり、民主主義の象徴である。それを脅《おびや》かしたのが、ドイツ、日本、イタリアだった。

戦後に帰還《きかん》した兵士たちは、歓喜にわく群衆に「hero（英雄）」として迎えられ、その後すぐに新しい人生を築いていった。少なくとも、それがこの地で繰り返し語られる物語である。

一方で、この国には「bad war（悪い戦争）」と考えられているものもある。ベトナム戦争だ。悲惨《ひさん》な映像がテレビや新聞を通じてリアルタイムで報道され、多くの国民が戦争に反対した。この戦争に意味はあったのか？——不信感や怒りによって引き裂《さ》かれた国に、兵士たちは帰省《きせい》したのである。第二次世界大戦の退役軍人が、素晴らしい「勝利の象徴」だったとしたら、ベトナム戦争の退役軍人は、アメリカという国の「失敗の象徴」だった。

現在ではよく知られている「トラウマ」という言葉は、ＰＴＳＤ（Post Traumatic Stress Disorder、心的外傷後ストレス障害）という疾患《しっかん》がもとになっている。ＰＴＳＤという疾患名が使われるようになったのは、ベトナム終戦から五年後の一九八〇年であり、トラウマという言葉もそれにともない世間一般に認知されていった。[4]

背景には、ベトナム戦争の退役軍人の状況や経験があった。彼らの多くは、トラウマ、薬物依存、閉ざされた人間関係、疎外《そがい》感などの後遺《こうい》症を経験しており、社会もその問題を徐々に認識するようになったのである。

それでもなお、PTSDはベトナム戦争の退役軍人に特有な症状だと考えられていた。ベトナム戦争は「悪い戦争」だったから、彼らは「悪い後遺症」を経験することになった。第二次世界大戦は「良い戦争」だったから、その後スムーズに社会復帰できた、というわけだ。

しかし、ロンの場合はそうではなかった。戦後、彼はアルコール依存症に苦しみ、家族との関係性にも苦労したという。期せずして私に打ち明けたように、罪悪感にも悩まされつづけたのだ。

ロンとの出会いがあったことで、私はアメリカ社会が唱《とな》える第二次世界大戦の退役軍人をめぐる「神話（myth）」に疑問を抱きはじめた。そして、そんな違和感を抱いたのは私だけではなかったのである。

ロンとの出会いから二年経ったころ、二〇〇六年に映画『Flags of Our Fathers（父親たちの星条旗《せいじょうき》）』が公開された。「硫黄《いおう》島《じま》の星条旗」の写真に隠された真実と、そこに写っている六人の兵士のその後の人生を追った物語だ。

この一枚の写真は、アメリカ兵士の勇気や犠牲、そして国の勝利を象徴するものとして、今日でもアメリカ人に愛されているイメージである。

写真に写っている六人のうち三人は硫黄島で戦死。生き残った三人は英雄として帰省し、一躍《いちやく》有名人となる。しかし、そのうちのひとりはアルコール依存症で若くして亡くなり、もうひとりは希望す

硫黄島の星条旗／Photo by Joe Rosenthal

る職に就けず、清掃員として生涯を終える。それは、かつての英雄とはかけ離れた姿だった。三人目は人並みの人生を送るのだが、死を目の前にしたとき、戦争のフラッシュバックに悩まされる。戦争の真実とは、私たちが信じたい神話よりもはるかに複雑なものであることを、この映画は語っている。

二〇〇九年に出版された、歴史家のトーマス・チルダーズ氏の著書によると（『Soldier from the war returning』）、一九四五年から一九四七年にかけて、アメリカの離婚率は史上最高に達し、世界一でもあったそうだ。退役軍人の離婚率は一般人の二倍に及んだ。多くの退役軍人は普通の生活に戻ることに苦労し、仕事を見つけることも、配偶者や子どもとの関係を保つことさえも困難な状況にあった。

また、第二次世界大戦中、なんらかの心理的な問題を抱えた兵士は、およそ一三〇万人いたそうだ。終戦から二年後、退役軍人病院のベッドの半数が、「見えない傷」を負った患者で埋まった。うつ状態、繰り返し起こる悪夢、罪悪感、爆発的な怒り、不安など、今でいうＰＴＳＤの症状に苦しむ退役軍人は、実際にはとても多かったのだ。

そして、彼らの多くは苦しみを忘れるために、酒を飲んだ。それがアルコール依存症につながったことは言うまでもない。アルコール依存症も含む薬物依存症とトラウマの関係性は、近年さまざまな研究結果から明らかになっている。

結局のところ、戦争で戦った兵士たちにとって「良い戦争」などなかったのである。戦後苦しみを抱えて生きたのは、ロンだけではなかった。私はその後も、彼のように戦争の悪夢に悩まされた多くの患者さんと出会うことになる。

「楽園」で起きたこと

二〇一四年の二月、東京は大雪に覆《おお》われた。電車は止まり、道路上には大量の雪が積もった。私はサイパンに立つ前に、武蔵野《むさしの》市にある実家を訪れていた。電車がようやく動きはじめた日の朝、やっとの思いで重いスーツケースをバス停まで運んだ。

成田《なりた》空港からたったの三時間半で、サイパン国際空港に到着。冬物のジャケットをすぐに脱いだが、空気があまりにも生暖かく、少しのあいだ目まいがした。外に目をやると、青い空には目がくらむほどの太陽が輝き、地上には色とりどりの南国の花が咲いていた。日本からほんの数時間、私は真冬を逃れ、楽園のような島にたどり着いたのだ。

戦争中、サイパンはアメリカにとって戦略的にとても重要な地だった。その理由はまさに、日本との距離の近さにあった。アメリカはこの地にB-29が離着陸可能な飛行場を所有し、日本本土を空襲《くうしゅう》する計画を立てていたのである。実際、一九四四年七月にサイパンを占領《せんりょう》後、それが可能となった。東京を含め、各都市を空襲したB‐29の多くは、この飛行場から飛び立っていった。

この島は「楽園」という言葉がぴったりな場所だ。太陽が反射してキラキラと光る青い海、南国のフルーツ、暖かい海風、美しい夕日。すべてがカラフルで、魚まで色鮮やかだ。すべてが生き生きとしている。

しかし、戦争の影から逃れることができない場所でもある。例えば、島のあちこちにタンクや銃《じゅう》などが残っており、至るところに慰霊《いれい》碑《ひ》が建てられている。

島の中心部のガラパンには、アメリカ記念公園がある。マリアナ諸島で戦ったアメリカ兵士や犠牲になった民間人を追悼《ついとう》する場所だ。その一角に、戦時中の資料などを展示している博物館があると聞いたので行ってみた。何か新しいことが学べるかと思ったが、期待はずれだった。展示物はすべて英語と日本語で書かれてはいるものの、あくまでもアメリカ側の視点から戦いに関する出来事を順番に配列しただけだった。そしていつものように、この戦闘が兵士たちに与えた影響などについてはまったくふれられていなかった。

外に出ると、アメリカ人女性が話しかけてきた。博物館で一緒だった女性で、見学中、何度かすれ違ったのだ。

「すばらしい博物館だったわね」

彼女は言った。六〇代前半くらいの女性で、アクセントからして南部の出身だろう。

「第二次世界大戦で戦った退役軍人が、『I'll do it again.（もう一度やる）』って言うのを聞いたことがあるわ」

彼女は満足げな笑みを浮かべた。私はそれを聞いてドキッとしたが、今考えてみると、それほど驚くことではなかったと思う。なぜなら、彼女のように退役軍人を「神話化」しようとする人は、いまだに多いのだから。

「とてもきれいね」

彼女は大きく深呼吸し、公園を見渡した。目の前には真っ青な空が広がり、星条旗が海風にはためいていた。私はその旗を見ながら、ロンや、これまでに出会った退役軍人の患者さんのことを思い出していた。

「もう一度やる」

死の際《きわ》にこんな言葉を発した人を、私はひとりとして見たことがない。その代わりに彼らが口にするのは、罪悪感や喪失感《そうしつ》、あまりにも深い苦悩《くのう》である。戦争中の楽しい思い出を語る人ももちろんいたが、ほとんどの場合、一緒に戦った仲間たちとの思い出話だ。それは戦争という暗い記憶の中で、かすかな光として輝くものなのだろう。

ロンがサイパンに到着したのは、一九四四年六月。当時、彼はまだ一九歳だったはずだ。彼はこの島で何を見たのだろう。私はさまざまな資料にあたった。

戦闘が続いた三週間、島は猛烈《もうれつ》な炎を立てて燃え上がり、煙が楽園を包み込んだ。焼けた死体の臭《にお》いは島中に充満したという。七月六日の夜には、三〇〇〇人ほどの日本兵が「斬《き》り込み作戦」を行なった。この作戦は、太平洋戦争では最も大きな「バンザイ突撃《とつげき》」だったといわれている。ほとんどの日本兵は戦死し、六六八名のアメリカ兵が負傷した。その三日後、アメリカはサイパンを占領したと宣言した。

ところが、アメリカ兵たちはさらに驚きの光景を目の当たりにすることになる。民間人が崖《がけ》から飛び降りて自殺してしまったのだ。子ども、女性、男性を問わず、数多《あまた》の死体が海岸や茂《しげ》みに散乱した。この戦闘におけるアメリカ兵の死者数は三一四四人。日本兵や民間人の合計死者数は、五万五三〇〇人だった。韓国人や島民も犠牲になったが、その数は定かではない。

サイパンを去る前日、島の南方へドライブに行った。この辺りは観光客が少なく静かで、時間もゆっくりと流れている。海岸沿いの茂みを歩いていると、突然、錆《さ》びついた機関銃が現れた。まるで誰かの忘れ物のように、そのままになっていた。サボテンや木々に囲まれ、幹《みき》とほぼ同色となった武器は、その環境とすでに一体化していた。

崖の上から遠方を望むと、テニアン島が見えた。大きな波がしぶきをあげ、断崖《だんがい》を打つのが見えるほどの距離にある島。サイパン戦のあと、アメリカ軍は八月にテニアン島を占領した。その一年後、原爆をつんだB-29がこの島から広島と長崎へ飛び立ったのである。そして、戦争は終わった。

しかし、ロンや彼のような兵士たちにとっての戦いは、終わりからはほど遠かった。彼らには、本国で別の戦いが待っていたのである。それはたいてい、沈黙の中での、苦しみとの戦いだった。戦後を生き抜くためには、戦場で戦うのと同じくらい勇気が必要だったに違いない。長年置き去りにされた機関銃のように、ロンの一部もこの島にとどまったままなのだろう。

サイパンに来てわかったことは、それだけだった。

ロンは最期まで、この地から完全に帰ってくることができなかったのだ。

お父さんの歌

サイパンを訪れた一年後、私は静岡県三島《みしま》市で行なわれた野外イベントにゲスト講師として参加していた。残暑の夕暮れどき、外が少しずつ暗くなると、たくさんの小さなランプが広場を照らした。パラソルつきのガーデンテーブルに、数十名の人が集まっていた。私は「音楽療法」や「死や死ぬこと（death and dying）」についての話をしながら、ネイティブ・アメリカン・フルートを吹き、日本の童謡《どうよう》を唄《うた》った。

客席に向かって左の奥のほうに、白髪《しらが》交じりの長い髪をゆるくしばった七〇代くらいの女性が、ひとり座っていた。イベント目的で来たというよりは、通りすがって立ち止まった、という感じだった。

トークが終わり、何か質問はあるかと参加者にたずねると、彼女が真っ先に手をあげた。

「場違いかもしれませんが、ひとつお願いがあります……」

彼女は恥《は》ずかしそうに言った。

「〝浜千鳥《はまちどり》[6]〟という歌を唄ってくれませんか？」

それまで数多くの講演やイベントを行なってきたが、歌のリクエストをされたのは初めてだった。しかも、この歌は聴いたことがなかった。知らないことを謝ると、彼女は残念そうな顔で言った。

「そうですか……。そうですよね」

イベントが終わったあとも、彼女はまだ椅子に座っていたので、近寄って先ほどの歌について聞いてみた。

「どうしてあの歌が聴きたかったのですか？」

「あれはね、お父さんの歌なの……」

彼女は静岡県出身で、漁港のそばで育ったという。海が大好きで、今も浜辺をよくひとりで歩くのだそうだ。

数年前のある日、彼女がいつものように浜辺を歩いていると、浜千鳥を見つけたという。

「そのとき、私は浜千鳥のようにお父さんを探しているんだって気づいたのよ」

父親は、彼女が三歳のときに徴兵《ちょうへい》された。軍服を着た兵隊たちを見送りに行った日のことを、彼女は鮮明に覚えているという。

「たくさんの兵隊さんの中に、何度も後ろを振り返って私をじっと見ている人がいたわ。

それがお父さんだったの……」

彼女の目には涙が溜《た》まっていた。父親の最期について唯一わかっているのは、サイパンで戦死したということだけだそうだ。

「この年になってもまだ、私はお父さんを探しているのね。お父さんが生きていてくれたら……。もう一度だけ会いたかった」

涙を隠すように彼女は笑みをつくった。私は彼女に、〝浜千鳥〟を唄ってくれないか、とお願いした。彼女は最初は恥ずかしそうにしていたが、テーブルの上で手を組むと、小さな声で唄いはじめた。

青い月夜《つきよ》の浜辺には
親を探して鳴く鳥が
波の国から生まれ出る
濡《ぬ》れた翼《つばさ》の銀の色

夜鳴く鳥の悲しさは

親をたずねて海こえて
月夜の国へ消えてゆく
銀の翼の浜千鳥

「僕は日本兵を殺した」

あの日、ロンは言った。

「彼らは若かった。僕も若かった……。彼らの家族のことを考えると……」

彼が言っていた「彼ら（兵士たち）の家族」とは、きっと彼女のような人のことだ。

戦死したひとりひとりは、誰かの父親であり、息子であり、兄弟であり、夫だった。愛する人を失った人たちにとって、戦争は終わることのないものである。ロンの戦争が人生の最期まで終わることのなかったように、それは、今も確かに、続いているのだ。

1　一九四四年、共和党全国大会でのスピーチより著者訳。
2　チャプレンとは、病院やホスピスなどで働く聖職者のことを指す。宗教に関係なく、患者さんやご家族、友人などに心のケアを提供する。

3　高校の教科書は『The American Pageant AP Edition』を参照した。

4　トラウマという言葉はそれ以前も存在したが、ＰＴＳＤという疾患名が米国精神医学会診断《しんだん》統計マニュアルに加えられたのは一九八〇年のこと。それ以前はＰＴＳＤ以外の名称が使われていた。病気や病状に対するイメージや認識は、時代や社会状況によって変化していくものである。

5　サイパン戦のデータはアメリカ記念公園博物館の情報にもとづく。アメリカ兵の死者数はカール・ホフマンの『Saipan: The Beginning of the End』、日本人の死者数は「戦没者遺骨《いこつ》収集推進法に基づく指定法人への指導監督等に関する有識者会議」の資料も参照した。

6　作詞＝鹿島鳴秋《かしまめいしゅう》、作曲＝弘田龍太郎《ひろたりゅうたろう》。

第二章

記憶の中で生きる——「忘れないでくれ」

死者は、
私たちが彼らを忘れない限り亡くなってはいない。
ジョージ・エリオット[1]

二〇一三年、音楽療法士になってから一一年目の冬。その日、私の働くオハイオ州シンシナティ市にあるホスピス病棟は、いつになく静かだった。患者さんの数も少なく、数日前の大雪のためお見舞《みま》いに来ている家族もあまりいなかった。午後のセッションがほぼすべて終了し、帰宅時間が近づいてきたころ、最後の患者さんの部屋をノックした。

ドアをそっと開けると、八〇代の男性がベッドサイドの椅子に座っていた。私が自己紹介するあいだ、彼は私のネームタグをじっと見ていた。そして驚いた顔で言った。

「サトウ……。きみ、日本人⁉」

「はい。よくわかりましたね」

「戦後、日本に住んでいたことがあるんだ！」

彼の顔がぱっと明るくなった。

「どうぞ、どうぞ、座って」

目の前の椅子を差し出すと、まるで旧知《きゅうち》の間柄であるかのように私を招き入れてくれた。

ユージーンは、眼鏡《めがね》をかけたがっしりとした体形の男性で、瞳《ひとみ》は濃い緑色をしていた。

奥さんのアナは末期がんの患者さんで、深い眠りについているようだった。彼女の体は痩せ細っており、呼吸しているのがわからないほど静かに、ベッドに横たわっていた。

病室を見渡すと、物品はほとんどない。つい最近入院してきたのだろう。ふと、ベッドサイドテーブルにあるモノクロ写真が目に入った。Aラインのドレスを着たスレンダーな女性と、ハンサムな軍服姿の男性が手をつないでいる写真。これはふたりの写真ですか、とユージンに聞くと、嬉しそうに微笑み、うなずいた。

「僕が軍に入隊した直後に出会ったんだ」

「ということは、戦争に行ったのですか？」

「フィリピンに送られた。あれはひどい……本当にひどい戦争だった……」

表情が一瞬にして暗くなる。

「いまだに傷痕《きずあと》があるんだ」

そう言うと、彼は自分の左手の甲《こう》に目をやった。のぞきこんでみると、母指球《ぼしきゅう》のあたりに、五〇円玉ほどの大きさの傷があった。その部分だけ色が白っぽく、皮膚《ひふ》もしわしわで薄い。

「日本兵に攻撃されたのですか……?」

恐る恐る聞いてみると、彼は答えた。

「そう。竹でできた手づくりの武器でね」

「竹⁉」

「そのころ、日本軍は兵器が不足していたから、ありものを使って武器をつくっていたみたいだよ」

彼は右手の親指で古傷《ふるきず》をなでながら言った。

「僕はラッキーだった。生きて帰ってこれたんだから……。でも、みんながそうだったわけじゃない」

そう言うとうつむき、黙ってしまった。

私はこの会話をどこまで掘り下げるべきか迷った。音楽療法のセッションだから、もちろん音楽の話題に移すこともできたのだが、彼にはまず、心のうちを話す必要があるようにも思えた。

アナは穏やかに眠っていて、私たちの会話で目覚めることはなさそうだった。末期にいる彼女は、ほとんど反応することのない段階《ステージ》に入っているのだろう。痩せ細った顔は、骨と皮だけに見えたが、やわらかな髪が写真の中の若かりしアナを思い出させた。

「ある夜……」

私が考えをめぐらせていると、ふたたびユージーンが口を開いた。

「ある夜、親友が殺された」

彼の顔がゆがむ。唇《くちびる》を噛《か》みしめ、涙をこらえているようだ。自分を落ち着かせるためか、両手を膝の上にしっかりと置いていたが、その手もかすかに震えていた。

言葉が見つからない私は、沈黙を守るしかなかった。

そしてユージーンは、その夜のことを語りはじめた。

ジャングルでの戦い

一九四三年の秋、一九歳になったばかりだったユージーンは軍隊に入隊した。真珠湾《しんじゅわん》攻撃によってアメリカが第二次世界大戦に参加してから、約二年が経っていた。

住み慣れたオハイオ州を初めて離れた彼は、フロリダ州にある歩兵隊《ほへいたい》のトレーニングキャンプに送られた。そこで出会ったのがジョージだった。ユージーンより数歳だけ年上で、同じ中西部出身だったこともあり、すぐに意気投合したという。

一九四四年、ふたりが所属する部隊はフィリピンに上陸した。その地で過ごした日々を、ユージーンは忘れることができないという。

「夜のジャングルは不気味だった。いろんな鳥や虫の音が聞こえるんだが、真っ暗で何も見えない。本当に怖かった。あの恐怖をなんと説明したらいいのか……」

日本兵の攻撃は夜に多かった。そのため、アメリカ兵はなかなか眠ることができず、誰もが寝不足で疲れていた。激しい戦いが続き、それは多くの場合、接近戦だった。暗闇のジャングルでは、誰が敵か味方かわからない状況もあったという。殺すか殺されるか、そんな日々だった。

そのような環境の中で、精神的におかしくなる兵士もいたという。ユージーンも限界を感じていたが、歩兵隊の仲間たちが唯一の心の支えとなっていた。彼らとの強い絆《きずな》は、ときに家族以上のものにさえ感じられたし、中でもジョージは特別な存在だった。

「僕らはいつも一緒だった。戦争が終わったらこれをするとか、あれをする、なんて話ばかりしていたな。生きて帰れる可能性は、極めて低いことはわかっていたけど……」

ユージーンの部隊からは、数多くの死者や負傷者が出た。さっきまで生きていた仲間が、次の瞬間には死んでいく。なのになぜ、自分はまだ生きているのだろう？　でも、そんな問いに答えはなく、運命としか言いようがなかった。そして、次にその運命がふりかかってくるのは、自分かもしれなかった。

「早く戦争が終わってほしかった……。でも、彼ら（日本兵）は次々にやってきた」

ある夜、また日本兵が攻撃を仕掛けてきた。それはいわゆる「斬り込み作戦」といわれるもので、アメリカ軍は「バンザイ突撃」と呼んで恐れていた。突然、男たちの叫び声と銃の音がジャングルに響きわたった。銃口から出る発射炎《はっしゃえん》で暗闇がパッと明るくなり、突撃してくる日本兵の姿がちかちかと浮かび上がった。

そのときである。ユージーンとジョージの目に、ひとりの日本兵の姿が飛び込んできた。

手榴弾《しゅりゅうだん》を投げようとしているのだ。標的は三、四人のアメリカ兵。距離はわずか数メートル先。ジョージは一目散《いちもくさん》に仲間のもとに駆《か》けていった。

「ジョージは、兵士たちに覆いかぶさるようなかたちでジャンプしたんだ」

ユージーンは両腕を広げ、何かを抱きかかえるようなジェスチャーをし、そのときの光景を再現してくれた。手榴弾が爆発したのは、ジョージが仲間の兵士たちに覆いかぶさった瞬間だった。

「みんな助かった。でも、ジョージだけは死んでしまって……」

ユージーンの目から涙がいっきにこぼれだした。それ以上は何も語らず、私のほうを見ることさえつらそうだった。

これは七〇年近くも前に起きたことだ。でもこの出来事は、彼の中では昨日起きたことのように鮮明に思い出されるのだろう。一度あふれだした涙は、止まることなく流れつづけた。

話を聞きながら、先ほどのユージーンの表情を思い出していた。私が日本人だとわかった瞬間、彼は懐かしい友人を見るようなまなざしになった。それはなぜだろうか？　彼の話を聞けば聞くほど、疑問は募《つの》った。日本人に対して、憎《にく》しみはないのだろうか？

しばらくすると彼は泣き止み、ぽつりと言った。

「戦争のことを説明するのは難しい……」

彼はどこか遠くを見つめていた。その姿は、私に話しかけているというより、戦争を経験したことのないすべての人間に向けて語りかけているかのようだった。

私は手の傷のことを聞いてみた。彼は、親友の死についてははっきりと覚えていたが、自身の怪我《けが》については記憶が定かではなかった。それは、ジョージの死から数日後に起こったことらしいが、今となってはすべての夜が同じに感じられるという。

ジャングルの雨、銃の音、死体の臭い……。

それでもひとつ、鮮明に覚えている光景もあった。帯《おび》のようなものを腹に巻いた日本兵たちがいたことだ。その帯は、戦後ずいぶんあとになってから、「千人針《せんにんばり》」と呼ばれる武《ぶ》運長久《うんちょうきゅう》を願うお守りなのだと、ユージーンは知った。彼はそれを巻いた兵士に攻撃されたのだ。そして竹製の武器に突き刺され、そのまま泥《どろ》の上に横たわっていたという。

「あのときはもう、ここで死ぬんだと思った。でも、衛生兵《えいせいへい》のおかげで病院に運ばれて、助かった」

ユージーンは終戦を病院で迎えた。ようやく体調が回復したころだった。

「今でもたまに悪夢を見る。たいていはジョージのことさ」

彼は眼鏡を外し、手で涙をぬぐった。

「日本人に対して、怒りはないのですか？」

先ほど頭をもたげた疑問を、思い切って聞いてみた。ユージーンは驚いた顔で私を見た。

ノー（怒りはない）――彼は首を振り、少し考えてからこう言った。

「いや、もしかすると最初は……。でも、日本に行って気持ちが変わった。僕は日本を愛している」

そのとき、誰かがドアをノックした。アナの清拭《せいしき》をするために、看護師が来たのだ。気づけば帰宅時刻はとっくに過ぎていた。数日後にまた訪問することをユージーンに告げると、彼は「わかった。また来てくれ」と、少しこわばった表情で言った。

戦争に対する想像力

その夜、私は婚約者のトラビスに電話した。彼はアメリカの空軍兵士で、ホスピスで出会った患者さんや家族以外では唯一よく知っている軍人だ。つい最近知り合ったのだが、彼が一カ月後に日本へ駐留《ちゆうりゆう》することになっていたため、急きょ結婚することを決めたのだった。

私はそれまでにも、第二次世界大戦の退役軍人と何度も出会っていたが、実際に戦闘の経験を聞くのはめずらしいことだった。それをトラビスに伝えると、思いがけない答えが返ってきた。彼自身、第二次世界大戦の戦闘経験者と出会ったことはない、と言うのだ。

「戦闘経験というのは、とても稀《まれ》なことなんだよ」

第二次世界大戦に参加した一六〇〇万人のアメリカ兵の中で、戦闘を実際に経験したのは一〇〇万人弱と言われる。つまり、ユージーンやジョージのような歩兵隊は、海外に派遣された部隊のおよそ一四％にすぎなかったのである。[2]

「歩兵隊（infantry）」というのは、武器を持ち、実際に地上で敵と戦う部隊を指す。第二次世界大戦について想像をめぐらせるとき、私たちが想像する「兵士」とはこの人たちだと思う。しかし、実際のアメリカ兵士たちは、そのほとんどがそれ以外の役割を与えられていた。物資の補給《ほきゅう》、エンジニアリング、医療、情報収集、機器の整備など、さまざまである。

日本軍の場合はどうだったのだろうか？　太平洋の島々に送られた日本兵たちの多くは、歩兵隊として戦ったイメージがある。歴史家の吉田裕《よしだゆたか》が書いた『日本軍兵士』によれば、日本軍は「作戦、戦闘をすべてに優先させる作戦至上主義」であり、「そのことは、補給、情報、衛生、防禦《ぼうぎょ》、海上護衛などが軽視されたことと表裏の関係にある」とされている。いずれにしても、当時の日本軍に関する基本的な数値を把握することが難しいため、比較することは不可能であろう。

アメリカ軍の歩兵隊に話を戻そう。全体の割合こそ少なかったものの、歩兵隊は太平洋、ヨーロッパ、北アフリカなど、第二次世界大戦でアメリカが関与したすべての戦闘で多くの死傷者を出した。アメリカ軍の全戦死傷者のうちの七〇％が歩兵隊であったという。そういえば、ユージーンは戦争体験を語る中で、言い回しこそ変えていたが「説明するのが難しい」ということを何度も言っていた。もしかすると、同じ退役軍人であっても、戦闘を経験していない人にとって、それを想像するのは不可能に近いことなのかもしれない。

私は、彼の経験についてもっと知りたいと思った。彼は戦後の日本で何を見て、何を感じたのだろうか？　ひとつ心配なのは、アナの容態《ようだい》がいつ急変するかわからないことだった。末期の患者さんというのは、死が近いということはわかっても、実際にいつ亡くなるかは誰にも予測できないのだ。

広島での光景

名も知らぬ　遠き島より
流れ寄る　椰子《やし》の実一つ

故郷の岸を　離れて
汝《なれ》はそも　波に幾月《いくつき》

私がギターの伴奏《ばんそう》で唄うあいだ、ユージーンはアナのひたいを優しくなでていた。彼女の表情や体に緊張の色はまったくなく、呼吸も穏やかだった。数日前とほとんど変わらない様子。でも、ユージーンのほうは日々の看病で疲れきった顔をしていた。

「いい歌だね」

音楽が終わると、彼は笑顔で言った。

「〝椰子の実〟[3]という歌です。聴いたことありましたか？」

「ないと思う。でも、広島にいたころ、日本の歌を何度か聞いたことがある」

「広島にはいつ行ったのですか？」

「戦争が終わってから数カ月後……。秋だった」

そう言うと、彼は何かを考えているようだった。

実はその日、私はアナの部屋に入る前に、面会に来ていた娘のティナとリビングルームで話をしていた。ティナは、父親から戦争体験をユージーンから聞いていたらしく、会話は自然と彼の話題になった。彼女は私のことをユージーンから聞いていたらしく、

「ここ数年、母の状態が悪くなってきて、戦争のことをぽつぽつ話すようになったけど、それでもほとんどのことは知らないわ。つらい経験をしたんでしょう。だから過去を忘れたかったんじゃないかな……。でも、やっぱり忘れることができないんだと思う」

ユージーンはアナの手をとり、ベッドのすぐ隣に座っていた。沈黙が続く。最初に口火《くちび》を切ったのは私のほうだった。

「その当時の広島は、どんな感じでしたか？」

「広島で見た光景は忘れられない。戦争が終わって、ようやく家に帰れると思ったのに、占領政策の一環で日本に送られたんだ。そして広島で、信じられない光景を見た」

彼は興奮した様子で、息づかいを荒くした。

「すべてが焼け焦《こ》げていた。焼け死んだ子どもの死体……、溶けた電球……。そんな光景、信じられる⁉︎」

彼は、訴《うった》えるような目で私を見た。

「それまで、仲間の死体や怪我した兵士たちをたくさん見た。でも、広島で見た光景はそれとは全然違った……」

町は灰と瓦礫《がれき》に覆われ、吐《は》き気《け》のするような死体の腐臭《ふしゅう》が漂っていた。人々は空腹で飢《う》え、原爆へのショックが生々しく顔に刻まれていた。生き残った者たちは、黙々と死者を埋葬《まいそう》していた。

ユージーンにとって特につらかったのは、子どもたちの姿を見ることだった。家をなくした子どもたちが、至るところをさまよっていたという。

「子どもたちの目が忘れられない。ゴミ箱のゴミを食べたりしていた……。本当にかわいそうだった……」

彼の目には、先日と同じように涙があふれていた。

「でもある日、幼い男の子と女の子たちが一緒に歌を唄っている光景を見た。子どもらしくはしゃいでいて、それが唯一の希望に感じられたんだ」

日本での滞在中、ユージーンは地方を訪れる機会があったそうだ。多くの都市は原爆や空襲で焼かれていたが、田舎《いなか》には植物が青々と茂り、牧歌《ぼっか》的な田園風景が広がっていた。ユージーンの目に映ったのは、美しい日本の自然とそこで暮らす人々の姿だった。

「日本の人々や文化がとても印象に残った。日本人も僕らも、そんなに変わりはないと知った」

それは一般市民のことなのか、それともフィリピンで戦った日本兵のことなのだろうか。もしくは、両方について言っているのだろうか。

「戦争に送られる前、日本人はアメリカ人とまったく違うと教えられていたから……。でも、実際にはそうではなかった」

戦時中、アメリカ国内ではさまざまなプロパガンダが存在した。日本人は信用できないという理由から、一一万人以上の日系アメリカ人が強制収容所に送られたことはよく知られている。アメリカ軍の内部では、日本軍は「危険」で「不合理」で、しかも命を重んじないという印象が根強くあり、そのイメージは「バンザイ突撃」や「特攻隊《とっこうたい》」などによってさらに強まったという。[4]

「日本兵は命令されたことをやった。それは僕らだって同じだ。それだけのことなんだ」

That's all. ――ユージーンは、はっきりと言った。

「千人針」の意味を知ったときにも、彼はきっとそう思ったのだろう。自分たちが戦っていたのは命を重んじない「野蛮《やばん》な人種」などではなく、ひとりひとりが大切な誰かから生きて帰ってくることを望まれた、かけがえのない個人だったのだから。

『大変な経験をしましたね』

「そうだね……。体の傷というのは、時間が経てばたいてい治るものだ。でも、記憶は焼き付いてしまって、なくなることはない。それでも僕はラッキーだった。無事に帰還して、結婚もできたから」

彼はようやく笑顔を見せた。体の緊張もとけて、リラックスしているように見えた。

一九四六年、年が明けた雪の降る日、ユージーンは任務を終え日本を発った。久々に見た雪は、故郷オハイオを思い出させた。ようやく帰還できるのは嬉しかったが、あの激しい戦いの日々を忘れることができないでいた。ともに戦った仲間たちのほとんどは戦死し、一緒に帰ることはかなわなかったからだ。

戦争は確かに終わった。でも、死んだ仲間たちの人生は二度と元には戻らない。そして自分の人生も、戦争が始まる前のようには戻れないと感じたという。

その後、ユージーンはすぐにアナと結婚し、三人の子どもに恵まれた。結婚生活は七〇年近くになり、今ではたくさんの孫もいる。

「お別れするのは悲しいでしょうね」

私が言うと、彼はうなずき、優しい目でアナを見た。

「これまで本当によくしてくれた」

彼のまなざしは愛にあふれていた。

ユージーンは、アナに最後まで自らの戦争経験を語らなかったが、それでもアナに支えられていたのだろう。

最後の言葉

翌週、ティナからの電話でアナの死を知った。前日の夜、穏やかに息を引きとったらしい。私は彼女から、お葬式《そうしき》で歌を唄ってほしいと頼まれた。それが父の、つまりユージーンの願いであるとも。

お葬式は、ホスピスの近くにある小さな葬儀場《そうぎじょう》で行なわれた。レンガでできたその建物は、外から見ると普通の家か小さな教会のように見えた。中に入ると、アナの友人や親戚で混雑していて、白いバラやユリの花の香りが充満していてた。お棺《かん》のわきにはアナの写真が数枚飾ってあった。その一枚は、ホスピスの病室にあったモノクロ写真だった。若いアナとユージーンが幸せそうに手をつないでいる写真。

牧師の挨拶のあと、私は〝アメイジング・グレイス〟を唄った。参列者も一緒になって唄い、会場からはかすかなすすり泣きが聞こえてきた。ユージーンは子どもや孫たちと一緒に最前列に座っていた。その姿は私の視界に入っていたが、音楽に集中するため、あえて見ないようにした。

次に唄ったのは、最後のセッションで演奏した〝椰子の実〟だった。

名も知らぬ　遠き島より
流れ寄る　椰子の実一つ
故郷の岸を　離れて
汝はそも　波に幾月

参列者の中で、歌詞の意味を理解できた人はおそらくいなかっただろう。配られたしおりには、曲名も歌詞も掲載しなかった。どの歌を唄うかは私に決めてほしい、とティナから頼まれていたが、日本の歌を唄うというのは、ユージーンたっての希望だった。

実をとりて　胸にあつれば
新《あらた》なり　流離《りゅうり》の憂《うれい》

海の日の　沈《しず》むを見れば
激《たぎ》り落《お》つ　異郷《いきょう》の涙

思いやる　八重《やえ》の汐々《しおじお》
いずれの日にか　国に帰らん

これまでも数多くの患者さんのお葬式で歌を唄ったが、日本の歌を唄ったのは初めてだったと思う。以前、音楽療法士になったばかりのころ、日系人の患者さんのお葬式で日本の歌を唄ってほしいと頼まれたことがあったが、あまりにもつらく、それができなかったことを思い出した。

私はもうすぐ結婚し、一〇年続けたこの仕事を辞め、日本に帰ることを決めていた。おそらく、患者さんのお葬式で唄うのもこれが最後になるだろう。それがアナのお葬式であり、日本の歌を頼まれたことは、最後にふさわしいと感じた。何より、遠い異国の地で故郷を想い、一度は敵国であった日本を愛していると語ったユージーンにとっても、この歌はぴったりだと思った。

お葬式が終わると、葬儀場は参列者の声でにぎやかになった。お互いにハグする人や笑顔で話をしている人がいた。悲しいお葬式というよりも、アナの長く充実した人生を祝う会、というような雰囲気だった。私は仕事に戻らないといけなかったので、ユージーンに挨拶をしてから帰ろうと思った。彼は濃いブルーのスーツに身を包み、友人や親戚らしき人たちに囲まれていた。

彼に近寄り、簡単に御礼を言った。いろいろなことを共有してくれたことに、心から感謝しています、と。すると彼は手を伸ばし、私に握手《あくしゅ》を求めた。そして私の手を強く握ると、こう言った。

Please don't forget.

ユージーンは言葉につまっているようで、それ以上は何も言わなかった。彼の目からは涙がこぼれていて、その表情はとても複雑に見えた。

葬儀場を出ると、太陽の光がさんさんと降りそそぎ、道路わきに積まれた雪はとけはじめていた。春がそこまで来ていることを感じさせるような、二月の午後だった。

その年の春、私は一六年ぶりに日本に帰った。ユージーンはアメリカのホスピスで出会った最も印象深い人のひとりであり、最後に出会った人のひとりでもあった。

＊＊＊

アナのお葬式から丸二年経った二〇一五年の二月、私はフィリピンのビサヤ諸島にあるセブ島を訪れた。ここは戦時中、アメリカ軍と日本軍の大きな戦いがあった場所のひとつだが、それを思い出させるものはなかった。雑然としたセブ市内の町を歩くと、スペイン風の古い建物や、日々の生活に追われる地元の人々の姿が目にとまった。

セブからボートに乗り、エメラルドグリーンの海岸が広がる小さな島々を旅した。この辺りは第二次世界大戦中、数多くの戦闘が繰り広げられた場所である。フィリピンの島々では、合計一万四〇〇〇人のアメリカ兵と五一万八〇〇〇人の日本兵が戦死した。フィリピン人の死者はさらに多く、一〇〇万人以上が死亡したと言われている。本当にたくさんの一般人が戦争に巻き込まれて亡くなったのだ。[6]

フィリピンの人々は私をフィリピン人だと勘違いし、タガログ語で話しかけてくることが多かった。日本人だと言っても、タガログ語で人懐っこく話しかけてくる人もいれば、英語に切り替えて親切にいろいろ教えてくれる人もいた。ほんの七〇年前に戦争が起こったはずのこの地では、不思議なことに、その事実が果てしなく遠い昔のことに感じられた。

ある日の夕方、ビサヤ諸島の小さな島のビーチで夕陽を眺めていた。静かな波の音だけが聞こえ、優しい海風が吹いていた。海の色が少しずつピンクに染まり、空の色と一体化していくのを見ていると、突然、自分がとても遠くまで来てしまったような気がした。まるで、一人だけこの島に取り残されたような気分になった。こうして海と太陽だけを見ていると、今、自分が地球上のほんの小さな点のような場所に存在していることを、実感せずにはいられなかった。

あの戦争でフィリピンや太平洋の島々に送られた数多くの兵士たちにとって、生きて故郷の地を踏むことは、ほぼ不可能に感じられただろう。事実、その多くは戻ってこなかった。私は、ユージーンが最後に言った言葉を思い出していた。

Please don't forget.（忘れないでくれ）

遠い異国の地で戦死した人々は、もしかすると私たちの記憶の中でだけ、故郷に帰ってくることができるのかもしれない。

1　『Adam Bede（アダム・ビード）』一〇章より著者訳。

2　以下、アメリカ軍歩兵隊に関するデータはジェラルド・リンダーマン『The World Within War: America's Combat Experience in World War II』を参照している。戦闘経験者はごく稀であったという事実もまた、第一章で述べた戦後アメリカ社会における退役軍人の「神話化」につながったと思われる。

3　作詞＝島崎藤村《しまざきとうそん》、作曲＝大中寅二《おおなかとらじ》。

4　強制収容所に送られた日系アメリカ人の数、また当時のアメリカ人の日本に対する差別的感情や日本兵に対するイメージについては、ジョン・ダワー『War Without Mercy（容赦なき戦争）』に詳しい。

5　このエピソードについては、佐藤由美子『ラスト・ソング——人生の最期に聴く音楽』一一四〜一三八頁を参照。

6　フィリピン戦におけるアメリカ兵の戦死者数はM・ハームリン・キャノン『Leyte: The Return to the Philippines』とロバート・スミス『Triumph in the Philippines』、日本兵の戦死者数は吉田裕『日本軍兵士』、フィリピンの民間人死者数は吉岡吉典《よしおかよしのり》『日本の侵略《しんりゃく》と膨張』に記載されているフィリピン政府の賠償交渉《ばいしょうこうしょう》時の数字を参照した。

第三章

原爆開発にかかわった人——「誇りには思っていない」

先の戦争で勝った者は誰もいなかったし、
次の戦争でも誰も勝たないわ。
エレノア・ルーズベルト[1]

二〇一九年四月上旬、ワシントンD.C.の桜が満開になったころ、私はスミソニアン国立航空《こうくう》宇宙博物館の別館、スティーブン・F・ウドヴァーヘイジー・センターを訪れた。本館はD.C.中心部のナショナル・モール（国立公園）にあるが、別館は市内から車で二時間ほどのところにある。私がそこを訪れたのは、どうしても見ておきたい航空機があったからだ。

入館してすぐ、警備員にエノラ・ゲイはどこに展示されているかを聞いた。彼は一瞬驚いたような顔をして私を見ると、正面を指差して言った。

「テール（尾翼《びよく》）に『R』が書いてあるシルバーの航空機が見える？　あれだよ」

三〇〇機以上が展示されている航空機の中で、エノラ・ゲイはひときわ目立っていた。大きな翼を広げ、シルバープレートに包まれた機体はきらきらと輝いている。歴史的背景を知らなければ、航空ショーのために造られたのかと思っても不思議ではない。

訪問者のグループが機体の前方に集まり、ガイドの話を聞いていた。近づいてみると、中学生くらいの白人の女の子の姿が目にとまった。純粋な目をしてガイドの話に耳を傾けている。エノラ・ゲイが空を飛んだ時代は、彼女にとってははるか昔の出来事だ。一三歳くらいの女の子が、そんな遠い過去の話を自分と結びつけて考えることができるのだろうか、とふと思った。たった一機の航空機がどのように歴史の流れを変えたのか、私にさえ実感するのが難しいのだから。

一九四五年八月六日の静かな朝、エノラ・ゲイは広島上空を飛び、原子爆弾を投下した。はっきりとした死者数はわからないが、その後四カ月間で約九万人から一六万六〇〇〇人が、五年間で二〇万人以上が死亡したというデータもある。[2]

核兵器がほかの兵器に比べて残酷《ざんこく》なのは、その長期的な影響にある。身体的な傷はもちろん、消えることのない精神的な傷ももたらした。そして多くの場合、心の傷は体の傷よりも治療が難しい。

博物館を出る前に、二階のビューイングエリアからエノラ・ゲイの写真を撮ることにした。機体にライトが反射し、まるで磨かれたばかりのフォークのように光っていた。その美しい姿の背景には、一九八四年に始まった修復作業がある。二〇年近くに及ぶ作業のおかげで、エノラ・ゲイは今なお新品のように見えるのだ。[3]

館内には原爆が人々に与えた影響に関する記述はない。あくまでもエノラ・ゲイの航空機としての情報が少し書かれて

エノラ・ゲイ／著者撮影

いるだけだ。

私の脳裏《のうり》には、これまでに出会ったさまざまな人の顔が浮かんでいた。広島や長崎の被《ひ》爆者《ばくしゃ》、原爆で焼け野原になった広島の光景が一生忘れられないと語ったアメリカの退役軍人[4]――彼らは戦争を生き延び、その後たくましく生きたが、心の傷は一生消えることがなかった。人間の心は、航空機のように修復することはできない。

私がこれから書き記すのは、原爆によって人生が変わってしまったアメリカ人男性の話だ。彼は元患者であり、原爆の開発にかかわった人物でもあった。

原爆開発にかかわった男

「若いころ、マンハッタン計画にかかわっていたんだ」

二〇〇六年夏のある日、サムが言った。

彼は九三歳で末期の大腸《だいちょう》がんと診断された患者さんだ。陽気でフレンドリーなイタリア系アメリカ人で、老人ホームの人気者。でもこの日、彼の顔からは笑顔は消え、アーモンド形の目はいつになく真剣だった。

私はそれまで「マンハッタン計画」という言葉を聞いたことがなかった。第二次世界大戦中に行なわれた原爆開発やリサーチに関するプロジェクトだという。まさかサムが、そんなことに携《たずさ》わっていたとは……。

サムを訪問しはじめたのは数カ月前のこと。シンシナティ郊外の老人ホームに住む彼は、その一カ月ほど前にホームで転倒して以来、ベッドで寝たきりになっていた。ダンス好きの彼は、老人ホームで月一回開催されるダンスプログラムに、それまで欠かさず参加していたという。社交的な彼にとって、寝たきりの生活は精神的な苦痛だった。それを心配した看護師が音楽療法を委託《いたく》したのだ。

サムは音楽療法に適した患者さんだった。音楽が大好きで、特に四〇年代から五〇年代のビッグバンドを好んだ。イタリア系アメリカ人だったサムは、フランク・シナトラ、ペリー・コモ、ディーン・マーティンなどの歌手が大好きだった。彼らもイタリア系アメリカ人だからだろう。彼らの楽曲〝ムーン・リバー〟や〝ブルー・ムーン〟、〝マイ・ウェイ〟などを私が唄うと、サムも声量のある低い声で一緒に唄った。

歌が上手だった父親のこと、イタリア人はみんな音楽好きであること……。家族や音楽について話すとき、彼の目はいつも生き生きとするのだった。

夏のその日、

「そうそう、君に見せたいものがあるんだ」

とサムは言った。部屋の反対側にあるタンスを指差している。私はギターを壁に立てかけ、タンスのほうに歩いていった。

「そこに時計があるでしょう？　持ってきて」

タンスの上の家族写真の隣に、古い銀色の懐中時計《かいちゅう》を見つけた。らせん状のデザインが彫り込まれたケースの美しいアンティーク時計だが、針は止まっていた。私がそれを手渡すと、彼は痩せ細った小さな手で、包みこむように受け取った。

「父がくれたんだ。もともとは祖母の時計でね。祖母が亡くなる前に父に渡して、父が亡くなる前に僕のものになった。家宝《かほう》だよ」

サムは時計をじっと眺めていた。どれだけ古い物なのかとたずねた。

「正確にはわからないが、かなり古いことは間違いない。ずいぶん前に止まってしまったんだけど、僕にとっては宝物さ」

サムの祖父母は、一八八〇年代の後半にイタリアから移民してきたそうだ。その後シカゴに移住し、サムもそこで生まれた。この時計は、祖父から祖母への贈り物だったらしい。

「家族は僕にとってとても大切だよ。音楽を聴いているときに思い出すのは、家族のことさ。僕はね、イタリア系であることを誇りに思ってる」

彼は満面の笑みで言った。

「そういえば、きみは何系なの？　どこから来たんだっけ？」

サムが聞く。だから私は答えた。

「日本から来ました」

「きみ、日本人⁉」

するとサムは目をまるくし、ショックで懐中時計を手放した。白いシーツがかかった彼の胸の上に時計が落ちる。口を開けたまま何か言いたそうにしているが、言葉がうまく出てこないようだった。

この人も第二次世界大戦で戦ったのだろうか？

それまでに出会った退役軍人が、私の国籍を知ったときの反応とサムの反応が重なる。

でも、彼が次に口にした言葉はまったく予想外のものだった。

「若いころ、マンハッタン計画にかかわっていたんだ」

「マンハッタン計画？」

『原爆の開発だよ……。でも知らなかった。あんなことになるとは、本当に知らなかったんだ……！」

サムは枕から頭を持ち上げ、必死の形相《ぎょうそう》で私のほうを見た。何かを訴えるかのようなまなざし。しわしわの顔は、苦痛と緊張でこわばっている。

「ああ、犠牲になった人たち……子どもたちのことを考えると……」

彼は首を何度も横に振り、目を閉じた。頬には涙がつたっていた。

「誇りには思っていない」

そう言って、サムは静かに泣き出してしまった。

彼がこんな過去を抱えていたなんて、思いもよらなかった。それまでの数カ月間、音楽療法のセッション中にサムが話したのは、主に家族のことだった。数年前に亡くなった最愛の奥さん、五人の子どもたち、たくさんの孫――家族はサムの人生の中心にあり、その家族に恵まれたことが今の幸せにつながっているという印象を受けた。おおらかで明朗な彼の姿からは、暗く重たい過去など想像できなかったのだ。

「何か弾いてくれる？」

サムは小さな声で言った。彼にとって、これ以上その話をすることはつらすぎるようだった。私は〝マイ・ウェイ〟[5]を唄うことにした。

そして今、最後が近づいている
だからぼくは、終幕《しゅうまく》に向き合っている

歌が終わると、サムはかすかに目を開けた。
ありがとう、とだけつぶやくと、また目を閉じた。

マンハッタン計画

その夜、私はマンハッタン計画について調べた。[6]
この計画は一九四二年に開始された極秘プロジェクトで、当時はアメリカ連邦《れんぼう》議会にさえ知らされていなかった。もともとは、ナチス・ドイツが原爆を開発する可能性に危機感を覚えた科学者たちが、ルーズベルト大統領を説得して始まったもので、アインシュタインもそこに名を連ねたひとりだった。マンハッタン計画に関与した科学者たちの多くは、アインシュタインのような亡命ユダヤ人で、ドイツとの戦争に勝つために協力したいという熱意があったことも知った。

プロジェクトはアメリカ国内のさまざまな場所で行なわれた。合計六〇万人以上が関与したというが、プロジェクトの目的を知っていた者はほんのわずかだった。ひとつひとつの仕事がコンパートメント化されていたため、自分の仕事に関連のあることしか知らされなかったのだ。

プロジェクトに加わった人々がその内容を知ったのは、広島に原爆が投下され、世界中がその事実を知ったときだった。反応はふたつに分かれたという。これで戦争が終わるかもしれないと歓喜した人たちと、多くの命を奪った原爆への恐怖に囚われた人たち。サムは、後者だった。

あの日以来、サムはセッションのたびにマンハッタン計画の話をするようになった。でも、詳細を語ったり、内省《ないせい》して自らの感情と向き合ったりすることはできず、同じことを繰り返し話すだけだった。これはトラウマの症状だろう、と思った。

そのころのサムは、身体的にも衰弱《すいじゃく》していて、少しずつ消えつつあるローソクのように見えた。エネルギーも時間も残されていない彼にとって、無理をしてでもトラウマを語ることに意味はあるのだろうか？　私はなるべく話題の焦点を音楽に置き、過去の話をもちださないようにした。それでもサムの口からは、必ず原爆の話が出てくるのだ。まるで悪夢にとりつかれているかのように。

「僕は、シカゴ大学の研究にかかわっていたんだ」

ある日、サムは言った。

「あれは本当にひどいことだった！　放射線《ほうしゃせん》で病気になった人や皮膚が剝《む》けてしまった女性や子どもたちの写真を見たことがある」

彼は表情をこわばらせ、いまだに信じられないと言わんばかりに首を横に振った。

「でも、あなたは自分が何をしているか、知らなかったのですよね」

私がそう言った途端に、彼は泣き出した。シーツの下では小さな体が震えていた。目的を知らなかったとはいえ、原爆開発にかかわってしまった罪悪感を、彼はずっと抱えて生きてきたのだろう。

シカゴ大学はマンハッタン計画が行なわれた場所のひとつだ。彼がそこで具体的に何をしたのはわからない。彼は計画にかかわったという以上の話をしなかったし、できなかったのだと思う。同じ話をひたすら繰り返し、つらくなると「音楽が聴きたい」と言うだけだった。音楽はサムにとって、気持ちを落ち着かせる唯一のものだったのかもしれない。
彼は、止まった懐中時計のように過去に囚われていた。

広島での記憶

蒸し暑い春の午後、中学三年生の私は広島平和記念公園にいた。湿気が強く、立っているだけでくらくらした。その年、中学校の修学旅行先が例年の京都・奈良から広島に変更され、がっかりしたことを覚えている。

公園では色とりどりの千羽鶴《せんばづる》が風に揺れ、鳥の鳴き声が聞こえた。原爆ドームの周りがこんなにも穏やかで美しいなんて、予想外だった。その日の午前中、私たちは平和記念資料館を見学した。旅行前に学校で原爆に関する残酷な写真や映像を見せられたことが原因かもしれないが、資料館では特に驚きもなく、心を動かされることもなかった。むしろ、もっとひどいものが本当はあって、それは観光客には強烈すぎるという理由で別のところに保管してあるのではないか、とさえ思った。

午後は公園で、被爆者の語りを聞くことになっていた。灰色のスカートスーツを着た五〇代くらいの女性。私たちは、彼女の周りに半円を描くように立っていた。夏服の制服を着た私たちは汗だくだったが、その女性だけは汗をかいておらず、陽射しが直接顔を照らしているのに表情ひとつ変えなかった。

　彼女は低い声でこう言った。

「あなた方が立っているコンクリートの下には、今でもたくさんの死者が眠っているんです」

　それを聞いたとき、思わずゾッとした。周りの生徒たちも水を打ったようにしんとなった。私は足元のコンクリートの平らな表面を見つめていた。

「死体があまりにも多かったので、埋葬することができなかったんです。なので、その上に平和記念公園を建てたんです」

　顔を上げると、女性の険《けわ》しい表情が目に入った。この話はおそらく何度も繰り返し語ってきたことなのだろうが、それでも彼女の顔には生々しい苦悩が刻まれていた。子どものころに被爆した彼女は、それ以来、この信じがたい悲劇の証人として生きてきたのだ。

　その被爆者の語りは、資料館で見た展示物のどれよりも印象深く心に残った。むしろ、声をもたない展示物に、彼女が声を吹き込んだかのように感じた。亡くなった方々が身にまとっていた洋服、時計、学生服、人影《ひとかげ》の石《いし》――ひとつひとつがあの瞬間まで生きていた人の命を映していたのだ。

サムと出会うまで、この悲劇にもうひとつの側面があるとは考えたこともなかった。それは距離によって隔《へだ》てられていたが、絶望でつながっていた。

マンハッタン計画に携わった科学者の多くは、原爆が広島と長崎に投下されたあと、悔《かい》恨《こん》の情を抱いたそうだ。プロジェクトの引き金となったのは、アインシュタインがサインし、ルーズベルト大統領に送られた一枚の手紙である。のちにアインシュタインはそのことを後悔し、「もしドイツが原爆開発に成功しないとわかっていたら、（手紙に）サインしなかった」と言った。

プロジェクトの指導的立場にあったオッペンヘイマーも、戦争終結から二カ月後に初めてトルーマン大統領と面会した際に、こう語ったという。

「私の手は血で汚《よご》れているように感じるのです」

プロジェクトの指導者たちが原爆をつくったことに罪悪感を抱いたとしたら、それは理解できる。当初の目的とは異なったかたちで利用されたとはいえ、彼らはプロジェクトの内容を把握していたわけだから。

しかし、サムは事情を知らされていなかった。それでも彼は、まるでそれを自分の責任であるかのように感じ、自らを責めつづけてきたのだ。

一八歳の兵士と枯葉剤

サムと出会ってから数年後、ヘンリーという男性が病棟に入院してきた。彼の部屋を初めて訪れたとき、何かがひどくおかしいと直感した。まだ五〇代で筋《きん》ジストロフィーの末期の状態の患者さんだった。外は大雨で部屋の中も寒かったが、彼は汗だくだった。簡単に挨拶をしたあと、調子はどうかと聞くと、彼は息もつかずに言った。

「ベトナム戦のことをずっと考えているんだ……」

突然、彼は手を伸ばし、私の手首をつかんだ。

「僕はベトナムで枯葉剤《かれはざい》を撒《ま》いたんだ！　当時は枯葉剤がなんなのか知らなかった」

ヘンリーは声を上げ、何かを訴えかけるような目で私を見た。サムがそうしたのと同じように……。

枯葉剤とは、アメリカ軍がベトナム戦争中に使用した強力な除草剤《じょそう》だ。子どものころ、枯葉剤の影響で障害をもって生まれてきた子どもたちの映像をテレビで見たことを思い出した。四〇〇〇万人以上のベトナム人が枯葉剤にさらされたといわれており、その後遺症は、がん、先天性欠損《せんてんせいけっそん》症、深刻な心理的・神経的問題などに及ぶ。原爆と同じく、枯葉剤は戦後も長くその影を落とした。[7]

「自分を許すことができないんだ……」

ヘンリーはベッドに沈み込み、子どものように泣いている。

「当時、何歳だったんですか？」

「一八歳……。徴兵されたんだ」

彼は涙を流しながら答えた。

「あなたはただ、命令されたことをやっただけです」

「でも、今考えればカナダに行って徴兵を逃れることだってできた。なのに僕はそうしなかった……」

確かに、ベトナム戦争中、カナダに移住し徴兵を逃れた人たちはいた。モハメド・アリがそうしたように、宗教や倫理的な理由などから「良心的兵役《へいえき》拒否者」として徴兵を拒否した人もいた。ただ、カナダに逃亡した者は二度と故郷に帰れない可能性があり、良心的兵役拒否者は刑務所に送られる可能性や社会からの批判を受け入れる覚悟が必要だった。

いずれにしても、簡単にできることではない。

「あなたはまだ一八歳だった。戦争がどんなもので、何をさせられるかさえ知らなかったでしょう」

「司祭《しさい》にも同じことを言われた。でも僕は、自分のしたことが許せないんだ」

ヘンリーはカトリック教徒だった。戦後、司祭に罪を告白し、赦《ゆる》しを求めたそうだ。そのときに「神様からの赦し」は得たのだが、彼の罪悪感が消えることはなかったという。

「許す」というのは、人が、人生の最期に向き合う課題の中で、最も難しいことのひとつだと思う。自分を許すことは、他人を許すことよりも難しいことかもしれない。しかも、自分の行為が他人に計り知れない苦悩を与えてしまったとしたら、それは想像を絶する苦しみとなるだろう。人生の最期に誰もが求める「心の平穏《へいおん》」とは、周りが与えられるものではないのだ。

ヘンリーの心が穏やかな場所にたどり着くことは、最期までなかった。死が近づくにつれ、彼はますます動揺するようになった。自分を責めつづけ、同じストーリーを何度も繰り返すのだ。彼はそこから前に進むことができなかった。

ヘンリーとサムが抱いた強い罪悪感は、本人たちにしかわからないものだ。感情とは、必ずしも道理にかなうものではないのだと私は知った。自らの行ないが他人に苦しみを与え、殺人につながったという事実を胸に秘めて生きるということが、どんなに過酷なことか。オッペンハイマーが言ったように、ヘンリーとサムも、自らの「手が血で汚れている」と感じていたのだと思う。

懐中時計

私が最後にサムを訪問したのは、紅《あか》く染まった葉が地面に落ちはじめた初秋の季節だった。数日前に九四歳の誕生日を迎えたサムのために、私はハッピーバースデーの歌でセッションを始めた。サムは恥ずかしそうに笑って言った。

「ありがとう。こんなに長生きするとは思ってもいなかったよ」

誕生日はどのように過ごしたのかと聞いた。

「息子と義理の娘が孫たちを連れてきてくれた。食欲がないもんだからケーキはあまり食べられなかったけど、家族に会えて嬉しかった。そうそう、もうひとつサプライズがあった」

彼はベッドサイドのテーブルに手を伸ばし、懐中時計を手に取った。

「見て」

満足げな笑みを浮かべて彼は言った。見ると、時計の針が動いていた。

「息子が時計屋に持っていって、直してくれたんだ」

彼の目が輝く。サムがこんな笑顔を見せたのは何カ月ぶりだろう。

懐中時計を胸に握りしめ、サムが言った。

「本当に長い人生を生きた。知ってのとおり後悔もある。誇りに思っていないことも……。でも、それを変えることはできない」

自分に言い聞かせるかのような口調。彼の顔には喜びも絶望もなかった。

でもその日、何かがいつもと違う、と私は感じた。普段より穏やかな空気が流れていたからだろう。彼は自分を許したのだろうか、もしくは最期が近い兆《きざ》しだろうか、と思った。

「何か唄ってほしいな」

サムが言った。

「何が聴きたいですか?」

「なんでもいいよ。僕の好きな歌、ユミは知ってるから」

サムを驚かせようと、私はここ数日間ある曲を練習していた。〝サンタ・ルチア〟というイタリア民謡だ。唄い出すとサムは一瞬驚いた顔をしたが、すぐに完璧なイタリア語で唄いはじめた。優しくなめらかな声。彼がその歌を唄うことは、母親が子守歌《こもり》を唄うかのように自然なことに見えた。

「まさか日本人の君がイタリア民謡を歌うとは！」

唄い終わるとサムが言った。私たちは一緒に笑った。

しばらくして、サムは私の手を取り目を閉じた。しわしわの彼の顔から徐々に力が抜け、呼吸がゆるやかになるのがわかった。彼が眠りにつくまで私はそこにいた。

それが彼との最後のセッションとなった。

＊＊＊

あれから長い月日が経った。サムは、最期に自分を許すことができたのだろうか、と私は今でも考えるときがある。博物館でエノラ・ゲイを見たときもそのことが頭に浮かんだ。もちろん答えは本人にしかわからない。ひとつ言えるのは、サムは、過去を変えることはできないのだと、受け入れたということだ。過去が違ってさえいれば、あるいは、違っていてくれたならば――そんな希望を、手放したのだ。

もしかすると、自分を許すとは、そういうことなのかもしれない。

1 ハリー・トルーマン宛の手紙から著者訳。ジョージワシントン大学の公式サイトで手紙の全文が公開されている。
2 広島の死傷者数は、米国エネルギー省が運営するサイトThe Manhattan Project: An Interactive History内の記事（"The Atomic Bombing Of Hiroshima"）やAtomic Heritage Foundationの公式サイト内の記事（"Bombings of Hiroshima and Nagasaki - 1945"）を参考にした。ただし、広島市の公式サイトを見ると、原爆による死者数は今も正確にはつかめていないとされている（放射線による急性障害が一応おさまった一九四五年一二月末までの死者数は推計約一四万人）。
3 エノラ・ゲイについてはスミソニアン国立航空宇宙博物館（Smithsonian National Air & Space Museum）の公式サイトも参考にした。
4 「原爆で焼け野原になった広島の光景が一生忘れられないと語ったアメリカの退役軍人」については第二章を参照。
5 著者訳。作詞＝Gilles Thibaut、作曲＝Claude François & Jacques Revaux。
6 マンハッタン計画については、ジョナサン・フェッター・ヴォーム『Trinity：A Graphic History of the First Atomic Bomb』、Atomic Heritage Foundationの公式サイト、The Atlanticの記事（"'I've Created a Monster!' On the Regrets of Inventors"）などに当たった。後述するオッペンハイマーやアインシュタインの言葉を知ったのもこの過程だ。

7 枯葉剤の犠牲者数はニコール・フィッシャーの記事 "The Shocking Health Effects Of Agent Orange Now A Legacy Of Military Death"（Forbes）を参照した。

第　二　部

欧 州 戦 線

European Theater

第四章

アメリカの理想と現実——「僕たちは、なんのために戦っているのか」

自由とは、どんな場合でも、
絶えず格闘することによってのみ可能となる。
アインシュタイン[1]

二〇一九年八月のある日の夕方、BBCニュースで香港《ホンコン》デモの代表者たちが会見したと聞いた。逃亡犯《とうぼうはん》条例の改正反対運動から始まった抗議活動は数カ月続いており、対立はエスカレートしていた。マスクで顔を覆った代表者が英語で声明文を読んだ。

「民主主義、自由、平等の追求は、すべての市民の不可侵《ふかしん》の権利である。このような世界共通の価値観を追求する権利を根絶するのをやめるよう、私たちは政府に要求する」

聞き覚えのある内容だ。アメリカ独立宣言の最も有名なくだりと似ている。

われわれは、以下の事実を自明のことと信じる。すなわち、すべての人間は生まれながらにして平等であり、その創造主によって、生命、自由、および幸福の追求を含む不可侵の権利を与えられているということ。

両方の文章には、「unalienable right」という言葉が出てくる。Unalienableとは「奪うことができない」という意味で、「不可侵」と訳されることが多い。独立宣言の文脈以外でこの言葉を聞くことはまずないし、日本語にもない表現なので、私はいつも強い印象を受ける。これは、権利とは政府が「与える」ものではなく、人間が生まれながらにしてもっているものであり、政府はあくまでも権利を「認める」立場にあるにすぎない、ということを明確にする言葉だと思う。

独立宣言は、その名前からしてイギリスとの独立戦争に勝利したあとに出されたと思うかもしれないが、実はそうではない。戦争が始まった翌年の一七七六年に承認され、戦争は一七八三年まで続いた。つまりこれは、イギリス国王の独裁《どくさい》政治や抑圧《よくあつ》に対する非難であり、挑戦だったのだ。アメリカ独立宣言は、のちにフランス革命に影響を及ぼし、現在でも民主主義の理想を支える基盤と考えられている。

今から数カ月前、私はワシントンD.C.にあるアメリカ国立公文書記録管理局で独立宣言の原本を見た。古く黄ばんだ文書は、憲法と権利章典《けんりしょうてん》（憲法中の人権保障規定）の原本と一緒にガラスケースに保管されている。文字は若干色あせてはいるものの、原文を読むことができた。ここで宣言された主張は、一八世紀において、どれだけ過激なものだったのだろうか。多くのアメリカ人がここで言及されている権利を実際に獲得するまで、どれだけの時間がかかったのだろうか。私は思いを馳《は》せてみた。

「不可侵の権利」は当初、すべての国民に当てはまるものではなかった。アメリカの歴史は、この権利のための闘い、つまりそれを要求しつづけた人々の視点から物語ることができる。南北戦争後の奴隷《どれい》制度廃止、女性参政権運動、公民権運動、障害者権利運動、アメリカンインディアン運動など……その挑戦は現在でも続いている。

独立宣言や憲法で示されているアメリカの「理想（ideals）」は、いまだ完全に実現されてはいないが、「より完全に近い調和（a more perfect union）」を目指すことがこの国の在り方なのである。少なくともそれが、アメリカ人が語り継いできたストーリーだ。

彼らは実際に、自分たちはさまざまな権利のために戦ってきたのだ、と子どものころから教えられている。その挑戦はときに、独立戦争や南北戦争のような武力による「戦い（fight）」であったし、またあるときには、公民権運動や女性参政権運動のような非暴力の「闘い（fight）」であったのだ、と。つまり、民主主義や個人の自由は、絶えず格闘することによってのみ可能となる。

一方で、このストーリーは、政治的なレトリックとしても利用されてきた。直近では、イラク戦争が思い浮かぶ。私が米国音楽療法士となり、ホスピスで働きはじめた二〇〇三年にこの戦争は始まっ

アメリカ国立公文書記録管理局
（National Archives and Records Administration）／著者撮影

た。ブッシュ大統領をはじめとする政治家たちは、「イラクが大量破壊兵器を保有している」という恐怖で人々を煽《あお》るばかりではなく、「民主主義」や「自由」の理想を掲げ、戦争への支持を集めようと躍起《やっき》になっていた。それ自体驚きだったのだが、私が信じられなかったのは一般市民の肯定的な反応だった。しかも一般市民のみならず、ジャーナリストや知識人とされてきた人たちまでもが、政治家たちの発言をたやすく受け入れていたのである。

今日《こんにち》、たいていのアメリカ人はイラク戦争を間違いだったと思っているし、政府に嘘をつかれたと怒りを抱いている人も多い。しかし、当時そういう意見は稀だったことを、私は鮮明に覚えている。戦争が長引くにつれ、私はいわゆるアメリカの「理想」というものに対し、ますます疑問を感じるようになっていた。ホスピスの病棟でウォルターという患者さんに出会ったのは、そんな二〇〇六年の秋ごろのことだった。

クリスマスの思い出

ウォルターは九〇歳で末期がんを患《わずら》っていた。ベッドに寝たきりの状態ではあったが、がんによる痛みはなく、不平不満もまったく言わない人だった。雪がぱらぱらと降る一二月の午後、彼の部屋に入ると、テレビから銃声が聞こえてきた。

「テレビを消してくれる？　これはひどい……。もう見たくない」

ウォルターは眉間《みけん》にしわを寄せ、ベッドに横たわったまま、顔の前で手を左右に振った。テレビからは、いつものようにイラク戦争のニュースが流れていた。私はテレビを消して、ベッドの向かいの椅子に座った。

「戦争のニュースを見たくないのですね」

「こんな戦争を始めてしまうなんて……。戦地に送られた若者たちのことを思うと……」

彼は嘆《なげ》くように言ったが、すぐに話題を変えた。

「それよりも、今日はなんの楽器を持ってきたの？」

「キーボードです」

「ああ、それはいいね」

音楽が大好きなウォルターは笑顔で言った。人柄がよく、いつも私を温かく迎えてくれる。テレビの隣にあるテーブルには、第二次世界大戦で使われた航空機の模型がいくつか置いてあった。以前そのことについてたずねたとき、彼は「戦時中は航空整備士だった」と答えたが、それ以上のことは語らなかった。

その日はクリスマスの数週間前だったので、私はクリスマスソングを弾きましょうか、と提案した。

「もちろん、クリスマスは僕のいちばん好きなホリデーなんだ」

私がキーボードでクリスマスソングを弾くあいだ、ウォルターはうとうとしているようだった。しかし、〝クリスマスを我が家《わや》で（I'll Be Home for Christmas）[2]〟を唄いはじめた瞬間、パッと目を開けた。彼はそのまま天井《てんじょう》をじっと見つめていた。

クリスマスは家に帰るよ
期待していてくれ
雪とヤドリギは欲しいな
そしてツリーにはプレゼントを

「この曲の背景を知ってるかい？」

歌が終わると、ウォルターは天井から目をそらし、今度は私のほうを見つめながら言った。私は、この曲は四〇年代にビング・クロスビーが唄ったものだということは知っていたけれど、それ以上のことは知らなかった。

「これはね、第二次世界大戦中、海外にいた兵士のために書かれた曲なんだ。ラジオでこの歌を聴いたときのことは今でも覚えてるよ。僕が航空整備士だったことは前に話したかもしれないけど、当時はイギリスに駐屯《ちゅうとん》していたんだ。とても寒い冬だった。誰だってクリスマスには家に帰りたいと思うだろ？　でも、もちろんそれは無理だった。戦争の真っ只中だったから……」

こうして、ウォルターはとつとつと、一九四四年冬の出来事について話しはじめたのである。彼には戦争の話をしたい日と、そうでない日があったから、私は彼のペースに合わせてじっと耳を傾けつづけた。これから書くのは、彼がその日から数カ月間にわたって語ってくれたストーリーをまとめたものである。

ラジオから流れてきた歌

一九四四年六月、アメリカ・イギリス軍を主体とする連合軍はノルマンディーに上陸し、八月にはパリが解放された。一二月はベルギーのアルデンヌ高地で「バルジの戦い」が繰り広げられていた。連合軍は進撃を続けてはいたものの、犠牲者は多く、バルジだけでアメリカ兵八万一〇〇〇人が死傷した。[3]

イギリスの寒くて湿っぽい気候の下、ウォルターは夜仕事をすることが多かった。灯火《とうか》管制《かんせい》のため電気をつけることができなかったので、懐中電灯で照らしながら真っ暗闇で作業をしたという。

「大変な任務だったけど、フライトクルー(航空機乗務員)たちの任務に比べたらたいしたことじゃなかった。僕らは戦闘に送られなかったんだから。多くのフライトクルーは二度と戻ってこなかった……」

大半のグラウンドクルー(地上勤務の整備士・技術者)は、ウォルターのような二〇代の若者だった。ウォルターには、一緒にトレーニングを受けたジェームズとレオという名の親友がいた。ジェームズは南部出身。社交的で基地《きち》内の誰とでも顔見知りになるような人柄だった。レオはカンザス州出身で、将来は大学で哲学を勉強する夢をもっていた。

ある日、ウォルターたちがいつものように航空機の整備をしていると、ラジオからクリスマスソングが流れてきた。

クリスマスは家に帰るよ

期待していてくれ
雪とヤドリギは欲しいな
そしてツリーにはプレゼントを

クリスマス・イブにはそこにいるから
愛情の光が輝く場所に
クリスマスには家に帰るよ
せめて夢の中でなら

気づけばみんな静かになり、その音楽に聴きいっていた。おしゃべりのジェームズさえ何も言わずに聴いていた。ホームシックにかかっていたレオは目に涙をためていた。ウォルターの心に浮かんだのは、オハイオ州に住む家族のことだった。

祖母が見せた涙

一九一六年、ウォルターはオハイオ州シンシナティ市のドイツ系カトリック教徒の家に生まれた。貧しい家庭だったが、彼がそのことに気づいたのはずいぶんあとになってからのことだった。世界恐慌《きょうこう》の時代、多くのアメリカ人が日々の暮らしに苦しんでいたからだ。食べ物は容易に手に入らず、娯楽《ごらく》のために使うお金などはない時代だった。

だからこそ、幼いウォルターにとってクリスマスは特別だった。クリスマス・イブにはおばあさんがパンとクリスマスクッキーを焼いてくれた。甘い物を食べることができたのは、一年の中でクリスマスの時期だけだった。クリスマスの日の朝ごはんには、おばあさんがウォルターの好物のゲッタをつくってくれた。ゲッタとはシンシナティのドイツ系移民たちが編み出した食べ物で、肉と穀類《こくるい》を練《ね》り込んでつくったソーセージのようなもの。節約のため、一人前の肉を目いっぱいに伸ばし、何回も食べられるよう工夫されている。

プレゼントを買う余裕のない家庭だったが、ツリーだけは毎年必ず飾った。新鮮なツリーの香りが小さな家の中を満たす。隣には古いピアノがあり、その周りに家族が集まってクリスマスソングを唄うのが習慣だ。ピアノを弾くのはウォルターの姉。おばあさんは〝きよしこの夜〟をドイツ語で唄った。

おばあさんのフリーダは幼いころにドイツから移民してきたため、流暢《りゅうちょう》なドイツ語を話すことができた。背が高く、灰色の鋭い目をした女性。厳しい人だったが、ウォルターはおばあさんが大好きだった。だからこそドイツ語を話せるようになりたいと、彼は何度もおばあさんに頼んだのだが、決して教えてくれなかったという。当時のアメリカ国内には、反ドイツ感情があったからだ。

一九三三年、ドイツではヒトラー内閣《ないかく》が発足。首相《しゅしょう》となったヒトラーは、検閲《けんえつ》を導入し、非常事態宣言を出すことで、言論や出版の自由を含む個人の自由を剝奪《はくだつ》した。その年、ナチズムの思想に反するとされた書物が燃やされる「ナチス・ドイツの焚書《ふんしょ》」が起こった。それから間もなく、ユダヤ人の迫害《はくがい》が始まった。

アメリカの新聞は、ドイツで起こっているこれらショッキングな出来事を報道した。ウォルターは、おばあさんが真剣に新聞に目をやる姿を覚えていた。一字一句を目で追いかけ、信じられないとばかりに首を振る。そのたびに、彼女の灰色の目はいつになく鋭くなっていった。

「アメリカ人であることに感謝しなさい、とばあさんがよく言っていた。ドイツでは、僕らが当たり前だと思っている自由がないのだから、って。言論の自由なんてものは、ナチスの下ではありえなかった。ナチスが広めたのはヘイトだけさ」

ウォルターは「ヘイト（hate）」という言葉を口にするとき、少し声を高めて言った。

「あなたはドイツ系アメリカ人として、ドイツと戦ったわけですね。それはつらいことでしたか？」

ノー。彼は、はっきりと言った。

「ドイツ人に対する憎しみはまったくなかった。でも、ナチスは倒さなければいけないという、その確信はあったんだ」

そんなウォルターは、おばあさんの涙を一度だけ見たことがあるという。それは彼が徴兵されて故郷を離れる日のこと。おばあさんは何も言わず、手を振っていた。その頰には、涙がつたっていたそうだ。

生きて帰れたら

一九四五年の年が明けたある日、ウォルターはジェームズとレオを含めた仲間たちとともに航空機に乗ることになっていた。それはごくごく日常的な任務だったのだが、直前になってウォルターの代わりに別の人が搭乗《とうじょう》することになったそうだ。その理由は覚えていない。でも、そのあとに起きたことは鮮明に覚えている。彼が乗るはずだった航空機が、離陸してすぐ墜落《ついらく》したのだ。地面が激しく揺れ、機体はあっという間に激しい炎に包まれた。飛行場には、黒い煙と強烈な臭いが充満していたという。

ウォルターはその場に呆然《ぼうぜん》と立ち尽くしていた。

ジェームズとレオが、燃えている……。

「あの日の光景が目に焼きついているんだ」

彼はテーブルの上に置かれた航空機の模型に目を向けた。そこには三つの模型があった。

「僕らが一緒に整備した航空機の模型だよ。これを見ていると、親友たちのことが目に浮かぶ。彼らは僕の心の中に今もいるんだよ……。どういうわけか、僕は九死に一生を得た。なぜかはわからないが……。でもあの日、心に誓ったことがある。もしこの戦争から生きて帰ることができたら、シンプルで幸せな人生を送ろう、ってね」

一九四五年五月八日、ドイツが降伏《こうふく》するとヨーロッパ中が歓喜に包まれた。ロンドンでは、戦争に疲れ果てた市民たちが道にあふれ、勝利の喜びを分かちあった。耐え忍ぶ時間はもうおしまい。これでようやく祖国に帰れる！　ウォルターもそう思った。

しかし、彼はその後すぐに、太平洋戦争に送られるかもしれないことを知らされた。

一九四四年秋の時点で、日本の敗色は濃厚になっていた。いずれの国の指導者たちにとっても、それは共通の認識だった。しかし、戦闘はその後一年も続いた。この最後の一年で、日本側はもちろんのこと、アメリカ側も多くの戦死者を出した。太平洋戦争で犠牲になったアメリカ兵の半数以上が、一九四四年七月から一九四五年七月のあいだに戦死している。[4]

一九四五年四月にはアメリカ軍が沖縄に上陸した。ウォルターたちがヨーロッパ戦線の勝利を祝っていたころに、沖縄では激戦が繰り広げられていたのである。その数カ月前にあった硫黄島の戦いも悲惨だったが、沖縄戦では一般市民も巻き込まれたためにさらなる被害が広がった。しかし、このような絶望的な状況にあっても日本軍は降伏せず、あくまで戦いを続けたのである。

このまま行けば日本本土での戦いとなり、そこに送りこまれる可能性がある。その事実を知ったとき、彼は大きな衝撃を受けたという。

「それまでは幸運にも生き延びることができたけど、運なんていつまでも続くわけじゃない。本土上陸となれば悲惨な戦闘になるのはわかっていた。多くの人が死ぬことになるだろうし、自分も死ぬかもしれない。でも、どうすることもできなかった。ただ待って、様子を見るしかなかったんだ」

ウォルターは家族に宛てて手紙を書いた。何が起こっても、お互い助け合うように――。

短い手紙にそのようなメッセージをつむいだ。自分の人生をコントロールできない無力感や苛立《いらだ》ち。それらをどうすることもできず、彼は運命を受け入れるしかなかったのである。

しかし、本土決戦を待たずに、戦争は連合国側の勝利に終わった。

「日本が降伏したときは本当に安心した。今度こそようやく終わったんだ、と思ったよ」

彼はそう言って大きく深呼吸した。表情もゆるやかで、まるで当時のことを追体験しているかのようだった。

この戦争の経験から、彼が学んだことはなんだろうか。

「戦争はひどいものだ。でも、それは経験するまでわからないことだね。僕たちが戦った第二次世界大戦は『good war（良い戦争）』などと言われるけど、そんなものはない。何百万もの人間が死んだんだ。街は破壊され、若者の未来も奪われた。でも……」

ウォルターは続けた。

「それでも僕たちは、なんのために戦っているのかを、わかっていたと思うんだ」

僕たちが戦った理由

アメリカ国立公文書記録管理局を訪れたのと同じころ、私はワシントンD.C.のメインストリートであるペンシルバニア・アベニューを自転車で走っていた。そのとき、「ニュージアム」というジャーナリズムに関する博物館の前で思わず自転車を止めた。壁面に大きく書かれた文字が目にとまったのだ。

議会は、国教の樹立を支援する法律を立てることも、宗教の自由な行使を禁じることもできない。言論の自由、あるいは報道の自由を制限することや、人々の平和的集会の権利、政府に苦情救済のために請願《せいがん》する権利を制限することもできない。

市民の五つの自由を保障する、憲法修正第一条（権利章典）に記された文言である。国家権力によってさえも制限されないこれらの「シビル・リバティ（市民の自由）」は、近代民主主義において不可欠なものだ。国民に力を与えることによって、初めて「人民の人民による人民のための」政府をつくることができる。

近年、世界中で民主主義が危機にさらされているが、アメリカも例外ではない。トランプ大統領は民主的なガバナンスにおけるさまざまな中核機関をあざ笑い、ときには攻撃的な態度を取っている。例えば、報道機関を「国民の敵」と呼び、主要メディアが「フェイクニュース」を流していると非難しつづけている。この「フェイクニュース」という言葉は、トランプ氏が生み出したものではない。ナチス・ドイツも、「嘘つきメディア(Lügenpresse)」という似たような言葉を使用していた。

また、トランプ氏は大統領就任後、特定のイスラム諸国の人々の米国入国を禁止する「入国禁止令」を出した。署名から数時間後、テキサス州ビクトリアにあるモスク放火事件が起き、容疑者はヘイトクライム（憎悪《ぞうお》犯罪）の罪で起訴《きそ》された。その後もトランプ氏はイスラム教徒を敵視しつづけている。

二〇一七年、バージニア州シャーロッツビルでは、白人至上主義者たちがナチスの旗を掲げ、「我々はユダヤ人に追い出されはしない」などと叫んで行進した。これに反対した人々が対抗デモを行ない、一人の女性が死亡。トランプ氏は「両サイドともに、良い人もいる」と、白人至上主義者をかばうような発言をして大問題となった。

ＦＢＩ（米連邦捜査《そうさ》局）の調査によれば、トランプ氏が大統領になった二〇一六年以降、国内のヘイトクライムが増加しているという。また、北テキサス大学の調査によれば、彼が大統領選挙のキャンペーンを行なった郡では、ヘイトインシデント（憎悪を動機とした事件）が二二六％増加したことがわかった。[5]

国際情勢においても、これまでの同盟国と対立し、むしろ独裁的な指導者を称賛している。これらトランプ大統領の言動は、アメリカの理想を脅かすものであるとして、国内外から激しい批判や懸念《けねん》の声が上がっている。その中に、第二次世界大戦の退役軍人たちもいる。

「僕たちは、ナチスを倒さなければいけないと信じて戦争に行った。今この国で起こっていることは、最悪のことだ」

シャーロッツビル事件後、ある退役軍人は地元テレビ局のニュースでそう訴えた。

別の退役軍人はこう語った。

「この国が自由と平等にどれだけ近づいたか、それまでにどんな苦労があったか、この大統領はまったく理解していない。僕たちは憎悪のイデオロギーと戦ったんだ」

この男性は、タスキーギ・エアメンというアフリカン・アメリカンの航空隊の一員だったそうだ。大戦中、彼らは海外で敵と戦いながら、自国の人種差別とも闘わなければいけなかった。第二次世界大戦で戦ったアフリカン・アメリカンの退役軍人たちは、戦後の公民権運動にも大きな影響を及ぼした。

もし、ウォルターが生きていたら、今のアメリカの現状に対してなんと言うだろう？

最近、私はそんなことをよく考える。

世界には自由という言葉の良い定義がない。そして今、アメリカ人はちょうどそれをほしがっている。私たちはみな自由を宣言するが、同じ言葉を使っていても、同じ意味ではないのである。

これはリンカーン大統領の言葉だが、彼の言うように、アメリカ人が「自由」と言ったとき、みんなが同じ意味でその言葉を用いているとは限らない。[6] しかし、第二次世界大戦の退役軍人が語る「自由」とは抽象的な観念ではなく、憲法で保障されている基本的人権や自由のための権利、つまり「シビル・リバティ」のことだった。私は、ウォルターとの出会いを通してそのことを知った。そして、その自由こそがまさに、先の大戦でファシズムを前に危機に瀕《ひん》していたものだった。ウォルターをはじめとする兵士たちは、そのために戦ったという自覚があったのだろう。

家に帰ろう

春の訪れが感じられる日の午後、私はウォルターを訪問した。病棟の庭ではアメリカンロビン（コマツグミ）が飛び交い、モクレンが咲きはじめていた。

ここ数カ月間でウォルターの体重は減り、寝ている時間が長くなっていた。身のまわりのことのすべてを人にやってもらう不自由な生活がずっと続いていたが、彼は一切の愚痴《ぐち》をこぼさず、訪問者やスタッフに対してつねに親切で温かかった。

冬のあいだにあったクリスマスの飾りやカードは片づけられ、部屋は殺風景だった。でも、航空機の模型だけはベッドから見えるところに置いてあり、隣にはボランティアが持ってきた赤いバラが飾ってあった。

丸く若々しい顔は、以前と変わらないように見えた。ウォルターがいつものように音楽が聴きたいと笑顔で言ったので、彼の好きなビッグ・バンドの曲を弾くことにした。演奏のあいだ、彼はかすかに目を閉じて聴いていた。

そしてその日、戦争から帰ってきた日の出来事を話してくれたのである。

一九四五年、ウォルターがシンシナティに帰ったとき、故郷を離れてからすでに約三年の月日が経っていた。迎えにきていたおばあさんとお姉さんは、以前と変わっていないように見えた。おばあさんは少し年をとったが元気で、姉は結婚していた。その夜、実家で久しぶりに家族と夕飯を食べた。

「三年は本当に長かった……。生きて帰れたことがまだ信じられなかったな。家族と再会できたことは嬉しかったし、夢のようだったけど、家族に戦争の話はできないと思ったね」

当時を振り返りながら、ウォルターは言った。

「帰還した僕を見て、母が言ったんだ。『大変だったわね。でも、私たちも大変だったのよ。お砂糖がなかなか手に入らなかったんだから！』って。そのとき、自分たちが経験したことは、一般市民には理解できないことなんだと思った。だからその後、戦争の話はしないことにしたんだ」

ウォルターは私をちらっと見たあと、テーブルの上の航空機の模型に目をやった。その模型は彼にとってみれば、若くして命を落とした戦友たちの象徴のようなものなのだろう。

「本当に多くの男たちが……、いや、中には少年もいたが……、命を失ったんだ」

「彼らのことを、よく思い出すのですね」

ウォルターは静かにうなずいた。

戦後、エンジニアとなり、結婚して家庭をもったウォルターは、「シンプルで幸せな人生」を送った。親友を失ったあの日、心に決めたように。

でも、彼の心の中には、戦争の記憶がいつもともにあったのだろう。だからこそ、人生の最期にそれを誰かに語り、知ってほしいと思ったのかもしれない。

音楽を聴いているとき、彼は終始穏やかな表情をしていた。

「あなたは、いつも落ち着いた表情をしていますね」

私がそう言うと、ウォルターはブラウン色の大きな目でこちらを見た。

「待つことには、慣れてるからね」

彼は冗談っぽくそう言った。

戦時中、ウォルターはずっと、故郷に帰る日を待ちつづけた。

そして今、彼はふたたび待ち望んでいる。人生の最期の旅に出る日が来ることを。

「あなたはまた、待っているのですね」

私がそう言うと彼はうなずき、微笑みながら答えた。

I'm ready to go home.

「家に帰る」ことを英語では「going home」というが、この言葉は同時に、「天国に行く」こと、つまり「死」を意味する場合がある。彼が人生の最期に夢見た「ホーム」は、ジェームズとレオがいる場所だったのかもしれない。

1　『Einstein on Politics: His Private Thoughts and Public Stands on Nationalism, Zionism, War, Peace, and the Bomb』より著者訳。

2　著者訳。作詞＝Kim Gannon、作曲＝Walter Kent & Buck Ram。

3　バルジ戦の死傷者数は、Holocaust Encyclopedia内の記事（"Battle Of The Bulge"）を参照。

4　太平洋戦争でのアメリカ兵の戦死者についてはジョン・ダワー『War Without Mercy（容赦なき戦争）』を参照。

5　北テキサス大学の調査結果は、論文"The Trump Effect: How 2016 Campaign Rallies Explain Spikes in Hate"にまとまっている。

6　一八六四年四月一八日の演説より著者訳。Teaching American Historyで公開されている（"Address at a Sanitary Fair"）。

第五章

女たちの戦争――「経験して初めてわかること」

愛を避ける人のみが、グリーフを避けることができる。
肝心なことはグリーフから学び、
愛に心を開きつづけることである。
ジョン・ブラントナー[1]

二〇一九年の秋のある日、友人から母親についての悩みを相談された。長年の付き合いなので、彼女が母親と親しい関係であることは知っていた。でもその母親が、最近では頻繁に怒るようになり、孤立しがちで、ときには妄想《もうそう》的になっているのだという。

「お母さんが、お母さんでなくなったみたいな気がするの」

友人は電話越しで泣いていた。

精神的な病《やまい》に苦しんでいるのではないかと考えた友人は、母親に病院に行くよう勧めたそうだ。しかし、母親はそのような提案をされると、さらに激昂《げっこう》してしまうらしい。友人には、母親がまるで「別人」になってしまったかのように思えた。

聞けば、彼女の母親は以前から精神的に不安定な面があったようだ。そして、退職後ひとりで過ごす時間が増えたこともあってか、近年ますます情緒《じょうちょ》不安定になっているという。

友人の母親に何が起こったのか、私にはわからない。ひとつ確かなのは、友人がグリーフ（悲嘆《ひたん》）を経験しているということだ。「グリーフ（grief）」とは、一般的に大切な人を失ったときに起こる身体上・精神上の変化を指す。友人の場合、母親が肉体的には存在しているのに、精神的にはいなくなってしまったかのような感覚があるのだろう。

私は、数年前にアルツハイマー型認知《にんち》症の診断を受けたという、友人の父方の祖父の話を思い出していた。「田舎に帰った際に祖母がとてもつらそうにしていた」と、以前彼女が話していたのである。彼女のグリーフは、彼女の祖母が経験したグリーフに似ている。ふたりとも、生きている人に対する喪失感を抱えているという点で。

こうしたグリーフは、社会的に認識されづらい。「生きている人に対する喪失感」というと不可思議に思えるかもしれないが、次のような場面を想像してみてほしい。これまで愛情をそそいでくれた両親が、急にあなたのことを忘れ、あなたの言葉を理解しなくなり、あなたが傷つくことを言うようになる。優しかった配偶者が薬物依存症となり、そのために嘘をついたり物を盗むようになる。そのとき、おそらくあなたは、大切な人が「別人」のようになってしまったと感じるはずだ。

喪失とグリーフはさまざまなかたちで起こり、喪失の仕方が曖昧《あいまい》であればあるほど、グリーフは複雑になりうる。例えば、死に至った状況に不明な点が多い場合、遺体《いたい》が見つからない場合、死者との関係性が複雑だった場合、など。また、自殺や中絶《ちゅうぜつ》といったように、ある喪失が社会的に認められていなかったり、受け入れがたい場合も同様だ。「生きている人の喪失」というのは曖昧であり、かつ社会的に認知されづらいため、両方の要素を含んでいる。

このような喪失に直面したとき、私たちはあるはずのない答えを探そうとする。なぜそれは失われたのか、なぜこんなことになったのか、と。友人も、見つからない答えを必死に探そうとしていた。

彼女の話を聞きながら、私はふと、昔ホスピスで出会ったある女性のことを思い出した。その女性は、今までに出会った誰よりも喪失やグリーフについて深く理解した人だった。

私は友人に、彼女との出会いについて話すことにした。

孤独な老女

キャサリンと出会ったのは、二〇〇八年の一月だった。八五歳の女性で、末期の乳《にゅう》がんが転移《てんい》していた。訪問する前に、音楽療法の委託をしてきた担当のホスピスナースに電話をかけた。

ベッキーは四〇代前半の経験豊富な看護師で、シンシナティ市にあるこのホスピスで働きはじめた当初からの知り合いだ。物静かで、几帳面で、確かな観察眼をもち、患者さんのことをよく理解した人だった。彼女はちょうど患者さんを訪問し終えたところのようで、電話の理由をすぐに察したのか、委託した経緯を説明してくれた。

キャサリンは夫に先立たれ、ふたりの子どもは州外に住んでいる。シンシナティ郊外の老人ホームには数年前から暮らしているが、最近ではますます部屋に引きこもるようになっているという。イベントやレクリエーションに参加することはおろか、ほかの居住者と一緒に食事をとることも拒否するようになり、訪問者もほとんどおらず、とても孤立しているのだと、ベッキーは心配していた。

そうした行動の変化は、身体的な苦痛が関係しているのではないか、と私は聞いてみた。ベッキーは、確かにキャサリンにはときおり骨盤《こつばん》の痛みがあって、薬を服用していると答えた。でも、と彼女はすぐに付け加えた。

「痛みは原因のひとつかもしれないけど、何かほかの原因があると思うの」

電話越しにポケットベルの音が聞こえた。誰かがベッキーを呼んでいるようだ。私は来週キャサリンを訪問するとだけ伝え、電話を切ろうとした。すると、ベッキーが早口で言い足した。

「あ、ひとつ言い忘れたわ。キャサリンは医師なの。でも、ファーストネームで呼ばれるほうがいいみたい」

次の週の午後、私はキャサリンを訪ねるため、シンシナティ市の東方にある老人ホームに向かった。ゲートをくぐると、丘の上に古いレンガ造りの建物が見えた。車で急なカーブを上りながら、雪の日でなくてよかったと思った。先週は大雪が降ったのだが、幸いなことに道路の雪はほとんど溶けていた。

キャサリンの部屋は三階にあった。ドアから部屋をのぞくと、窓のそばに置かれたリクライニングチェアが目に入った。カーテンは閉まっていて、部屋は暗い。奥のベッドには人が横たわっているのが見えた。

キャサリンはピンクのパジャマを着て、酸素吸入器《さんそきゅうにゅうき》をつけていた。白髪交じりのきれいな巻き毛。目は閉じているが、眠っているかわからなかったので、彼女の腕にかすかに触れてみた。するとキャサリンはまぶたを開き、私のほうを不思議そうに見た。その瞳は美しいヘーゼルカラーだった。

私はホスピスから来た音楽療法士だと告げ、いくつか簡単な質問をした。キャサリンはひとつひとつの質問にはっきりと答えたが、聞かれたことにのみ簡潔に答えるだけで、必要以上のことは言わなかった。でも、私が持ってきたアイリッシュハープには興味を示した。音楽は好きだが、唄ったり楽器を弾いたりしたことはないという。好きな音楽は特になく、なんでも好き、とのことだった。

手はじめにハープを弾くと、キャサリンはまた目を閉じた。しばらくすると眠ってしまったかのように見えたが、曲が終わるとかすかに目を開けて、「いいわね」と静かに微笑んだ。

その日、私がアイリッシュハープを持参したのは、キャサリンがアイルランド系アメリカ人かと思ったからだ。彼女のラストネームは「O'Brien（オーブライエン）」で、これはよく知られるアイルランド系の苗字《みょうじ》である。そのことについてたずねると、彼女は言った。

「ええ、そうよ。でもオーブライエンは夫の苗字なの」

旦那さんのことにふれたとき、彼女の表情が少しやわらいだ。

「旦那さんはご健在ですか？」

「ずいぶん前に亡くなったわ……」

それ以上は何も言わず、彼女は腰までかかっていたベージュの毛布を首元まで引き寄せた。その目は急に暗くなったように見えた。

隣の部屋のテレビの音がうるさかったので、ドアを閉めるために立ち上がる。ベッドの横を通ったとき、壁にかかった大きな白黒写真に気がついた。白衣を着た数十人の青年たちが、誇らしげに背中で腕を組み、列になっている。その中に、頬骨《ほおぼね》が高く、巻き毛できれいな女性がいた。

「これはあなたですか？」

キャサリンは表情ひとつ変えずにうなずいた。レンガ造りの建物の前で撮影されたもので、青年たちの後ろにある扉の上部には「Medical School（医学部）」とあった。

私はベッキーとの会話を思い出した。キャサリンが医師になった一九五〇年代、アメリカで女医になるのはとても難しく、めずらしいことだったそうだ。女医の数は当時一〇%以下。キャサリンは医学における女性のための道を開いた人のひとりだと、ベッキーは言っていた。

「あなたが女医だということは聞きましたよ。当時、女性が医学の道に進むことはとても難しかったそうですね」

私がそう言うと、キャサリンはうるさそうに手を振り、そっぽを向いてしまった。

「たいしたことじゃないわ」

予想外の反応だった。彼女の人生に何があったのかはわからないが、そのキャリアに関しては、間違いなく素晴らしい成果であるように思われた。もしかすると、謙虚な人なのかもしれない。そう思ったが、彼女の声には確かな苛立ちが含まれていたのである。

私が帰る準備をするあいだ、キャサリンは窓の外を見ていた。葉っぱを失った木々が、晴れた青空の下で孤独に見えた。中庭のガゼボ（庭園に設置される建屋《たてや》）の周りには、まだ雪が残っていた。

「外は寒いのかしら？」

キャサリンが何気なく話しかけてきた。

「寒いですけど、先週ほどではないですよ」

返事をすると、外に目をやったまま彼女は答えた。

「私、しばらく外に出ていないから気候がわからないのよ」

しばらくの沈黙……。しかし、私が部屋を出ようとしたときに、彼女はようやくこちらを向いて、言ったのである。

「風邪ひかないように暖かくして帰って。また来てね」

POW

それから私は一週間おきにキャサリンを訪問した。セッション中の会話は増えたものの、天気や食べ物のことなどが中心で、プライベートな話題にふれることはなかった。キャサリンはアイリッシュハープの音色《ねいろ》が好きだと言い、私が音楽を弾くあいだはたいてい眠ってしまうので、私は彼女のことをほとんど知らないままだった。

それでも、ときおり彼女が愚痴をこぼすことがあった。それはいつも同じ内容で、「一年以上施設の外に出ていない」というものだった。ただ、この話題になると、彼女は気まずいのかすぐに話を変えてしまう。それでもやはり、何度も同じ話題が出てくるのだった。

この人は、長いあいだ心を閉ざしてきた人なのかもしれない、と思った。つらい現状に対応するためにそうしているのではないか、とも感じた。

聡明《そうめい》で独立心の強い彼女は、医師として働き、なんでも自分でやることに慣れた人だった。でも今、彼女はまるで囚人のように、身体的にも精神的にも身動きのとれない状況にあるように見えた。彼女は小さい部屋に引きこもることで、自分の殻《から》にも閉じこもっているようだった。

ある春の午後、キャサリンはめずらしく車椅子に座っていた。その日は体調がよかったらしく、しばらく座ってみることにしたらしい。

「外は暖かそうね。外出できたらいいんだけど……」

窓の外には、深いブルーの空にマシュマロのような雲が浮かんでいた。中庭ではハナミズキが咲きはじめていた。

「一緒に外に行きましょうか？　車椅子を押しますよ」

彼女は首を横に振った。

「部屋から出たいわけじゃないの。この場所から離れたいのよ。ひとときでいいから、どこか別の場所に行きたいの……」

キャサリンが一年以上施設から出ていないのは、車椅子用のバンがないことが原因だった。たいていの老人ホームにはそのようなバンがある。このホームにも以前はあったというが、一年半ほど前に故障して以来、予算の関係で新しいバンを購入することができないでいるそうだ。

キャサリンが施設内でのイベントやレクリエーションに興味を示さなかったのは、部屋に引きこもっていたいからではなかった。彼女はむしろ、施設の外に出ることを望み、ほんの一瞬でも自由を味わいたかったのである。

「仕方ないわ。何か歌を唄って」

私はハープの伴奏で、〝マイ・ワイルド・アイリッシュ・ローズ（My Wild Irish Rose）〟[2]を唄うことにした。アイリッシュ系アメリカ人にこよなく愛されている歌だ。コーラス・パートになったとき、彼女も一緒に唄いはじめた。

マイ・ワイルド・アイリッシュ・ローズ（私のアイルランドの野ばら）
どの花より優しい

どこを探しても、この花と比較できるものはない
マイ・ワイルド・アイリッシュ・ローズ
どの花より愛《いと》おしい
いつか僕のために、彼女はそのバラの花を僕にくれるかもしれない

「昔、夫がね、私のことをアイリッシュ・ローズって呼んでいたのよ」

曲が終わると、キャサリンは笑顔で言った。

「旦那さんはどんな人だったんですか？」

キャサリンは下を向き、膝にかけていた毛布をかけ直した。

「彼はPOWだったの……。意味、わかる？」

POWとは「戦争捕虜《ほりょ》（prisoner of war）」のことだ。

「戦前に婚約したの。戦争が終わって帰還したとき、彼は別人だったわ……。でも、とにかく結婚したの」

キャサリンの顔からは微笑みが消えていた。「別人」という思いがけない言葉に、私の

耳が反応した。

「時が経てばよくなると思ったけれど、よくならなかった……」

私のほうを見ることなく、彼女は淡々《たんたん》と語った。

以前私は、興味深いレポートを目にしたことがあった。そこには、第二次世界大戦のPOWの生存者は、戦闘経験者よりも高い確率でPTSD（心的外傷後ストレス障害）に悩まされたという研究結果が記されていた。[3] 彼らの多くは、拷問《ごうもん》、飢餓《きが》や洗脳《せんのう》、屈辱《くつじょく》的な扱いを受けることで、身体的のみならず精神的な苦悩まで経験したからである。そのようなトラウマを抱えた人との結婚生活など、私には想像できない話だった。

「旦那さんのこと、愛していたんですね」

「そうね」

キャサリンは何度かうなずき、黙り込んだ。そして大きく深呼吸し、窓の外に静かに目をやった。ガゼボの周りに、数人の女性が立ち話しているのが見えた。キャサリンの視線は確かにそちらに向いていたが、心は別のところにあるようだった。

彼女には「今ここにないもの」を見ているように思える瞬間がしばしばあった。あとになって気づいたことだが、それは彼女が「すでにこの世にいない人たち」のことをよく思い出していたからだろう。

「もし外に行けるとしたら、どこに行きたいですか？」

「どこでもいいわ。ここからしばらく出られるのであれば、場所は関係ないの」

彼女は、この小さな窓から、四季の変化や人々の往来《おうらい》を眺めてきたのだ。医師として人々の人生を支えてきた彼女は今、遠くから他人の、そして自分の人生を観察するだけの存在になってしまった。彼女はこの状況とどう向き合っているのだろうか？

私がたずねると、キャサリンは優しくこう言った。

Taking it day by day.

これまでも何度かホスピスの患者さんから聞いたことのある言葉。その日その日に対応していくことで、ゆっくりと前に進むことを表現するイディオムだ。日本語で言えば「一日一日を乗り越えていく」というような意味になる。

今、直面している問題や未来のことを考えて打ちのめされてしまいそうなときこそ、まずは目の前のものごとやすべきことに焦点を当てる。キャサリンはこのようにして、つらい日々を乗り越えてきたのだ。

兄の死

七月上旬のある朝、日本にいる母からのメールに気がついた。

「健《たけし》が死んだ。電話して」

健とは私の兄のこと。まだ三四歳で、健康そのものだった。何かの間違いだろうと思い、東京の両親にすぐ電話をかけた。しかし、母は私に告げた。兄は昨夜、寝ているあいだに死んだのだ、と。検死《けんし》した監察医《かんさつい》によれば「病死」だそうだ。母は、何度も私に電話したけど出なかったので、メールしたらしかった。

電話を切ったあと、私は帰国するための準備に追われた。仕事先の上司に電話をし、翌日の飛行機のチケットを取り、友人には飼っていた犬の世話を頼んだ。夕方、スーツケースに荷物を詰めながら、喪服《もふく》がないことに気づいた。アメリカでは何度か葬儀に参列したことはあったが、日本では一度もなかったからだ。

突然、苛立ちと怒りが込み上げてきた。

兄の死はあまりにも突然で、とても不公平に思えた。彼が抱いていたであろう未来の希望も、夢も、一瞬にして失われてしまったのだ。その夜、寝床《ねどこ》についたとき、私はこの悪夢から目が覚めることを願わずにはいられなかった。

翌朝、私はひどい不安とともに目が覚めた。昨日起こったことは「夢」ではなく、やはり「現実」だった。急いで仕度をし、飛行場に向かわなくてはいけない。ようやく起きて洗面所の鏡の前に立ったとき、急に足の力が抜けた。そのまま床に座り込んでしまった。このままではとても東京までは行けない。そう思った。葬儀場にたどり着くまでの過程を想像してみる。シンシナティ空港に行き、デトロイトで乗り換え、成田空港からバスで東京へ——。あまりに長い道のりに、考えただけで目まいがした。

そもそも、兄の葬儀に参列することが想像できない。しかし、参列しないという選択もまた想像できない。これまでの人生の中で、自分のやるべきことができないと感じたのは、そのときが初めてだったと思う。

でもそのとき、ある言葉が頭に浮かんだ。

Taking it day by day.

先日キャサリンが口にした言葉だ。もしかすると、今、私がやるべきことはこれなのかもしれない。東京で葬儀に参列することを考えると、その現実に圧倒されそうになる。だから、まずはシンシナティ空港に行くことだけを考えるのはどうだろう。それならできそうな気がした。ひとつひとつのステップに集中しようと決めると、ようやく体が動きはじめた。

それから日本に滞在した一カ月間、私はキャサリンの言葉を胸に日々を過ごした。

葬儀は想像したとおりの光景だった。それまでもホスピスで、若い家族を失った人たちの姿を何度も目にしていたので、それがどれだけ絶望的なことであるかは想像できた。それでも、いざ自分が経験してみると、それはやはり衝撃的なことだった。身を引き裂かれるような母の泣き声と、取り乱した父の表情を、私は今でもはっきりと思い出せる。息子を失った両親を見ることは、兄を失うことよりもつらいことだった。

失ったから、わかること

一カ月後、シンシナティに戻り仕事に復帰したとき、最初に話をしたのはベッキーだった。実は彼女も若いときに、お兄さんを心臓発作《しんぞうほっさ》で突然亡くしたらしい。これまで何年も付き合いがあったが、彼女がそのことを教えてくれたのは初めてだった。彼女の話を聞いて、自分はひとりではない、という事実に心強さを覚えた。そして、キャサリンが私の不在を心配していたことも知った。どうやらベッキーが状況を説明してくれていたらしい。

八月の午後、キャサリンに会いに行った。夏は終わりに近づき、日は短くなってきていたが、日中はまだ暑かった。うだるような東京の夏とは違い、太陽はギラギラと燃え上がり、目をさすような眩《まぶ》しさだった。キャサリンはリクライニングチェアに座り、新聞を読んでいた。そして私の姿を認めた途端、目を見開いて叫んだ。

「ユミ！　心配してたのよ。こっちに来て座って」

キャサリンは手招きをしながら、新聞を膝の上に置いた。

「お兄さんが亡くなったことはベッキーから聞いたわ。本当に大変だったわね。日本にいるあいだはどう過ごしていたの？　ご両親の様子はどうだった？」

ヘーゼルカラーの瞳が、私を心配そうに見つめている。こんなにも感情的なキャサリンを見るのは初めてのことだった。この一カ月間の出来事を簡潔に話したあと、「あなたの調子はどうでしたか？」と聞いた。私がいないあいだ、ホスピスのアートセラピストが訪問していたそうで、窓際には一緒につくったという風鈴《ふうりん》がつるされていた。貝殻でできたきれいな風鈴。そのことについてもっと知りたいと思ったが、キャサリンはすぐに話題を戻してしまった。

「お兄さんはいくつだったの？」
彼女が私について質問すること自体、ほとんどないことだった。今は、彼女にとっても
この話をする必要があるのだと感じた私は、兄の死や葬儀での出来事、自らのグリーフに
ついて話すことにした。そのあいだ、キャサリンはときどき深くうなずいたり、信じられ
ない、とばかりに首を振ったりしながら、真剣に私の話を聞いていた。
「本当に大変な経験をしたわね。こういうことは、誰にでも理解できることではないけど、
私にはわかるわ」
キャサリンは膝の上で手を組み、内緒話をするかのように身を乗り出した。
「私はね、こんなに長く生きるとは思ってなかったのよ。両親は早く死んでしまったし、
祖父母はアイルランドに住んでいたから会ったことがないの」
「ご両親は病気だったんですか？」
「母親はね……私が一〇歳のときに自殺したの。その数年後に、父がはしごから落ちて亡
くなったわ。おそらく父も自殺したんじゃないかと思うの。母の死後、ずっと取り乱した
状態だったから。当時はね、こういうことをオープンに話したりしなかったから、両親が
死んでも何もなかったかのように生きていくわけ。ただ、あとになって考えてみると、母

も父もいろんな苦しみを抱えていたんだと思うのよ」

　キャサリンの過去を知り、私は驚いた。子ども時代に両親をふたりとも失うというのは、彼女にとってあまりにショッキングな出来事だったに違いない。両親の死後、キャサリンは叔母《おば》さん夫婦に育てられることになったという。

「長いあいだ、私には心を許せる人がいなかった。でも、夫と……ボビーと出会ってようやく幸せを感じられたの。彼は背が高くて、運動ができて、社交的な性格でね。私とはまったくの正反対」

　キャサリンはそう言って笑った。その直後、彼女の目に涙が浮かんだ。

「ようやく大切な人を見つけたのに、戦争で彼は変わってしまったわ」

　彼女はしばらく何も言わずに下を向き、しわしわの手を眺めていた。以前、キャサリンが「別人」という言葉を使ったことを、私は思い出していた。

「今では、彼に起こったことを表現する言葉があるわよね。なんていう言葉だったかしら、PTSDだっけ？　当時はそんな言葉はなかったし、彼のような退役軍人や家族へのサポートもなかったわ。ボビーはお酒におぼれるようになって、仕事も続けられなくて……。だから私は、家計を支えるために医師になったの」

ボビーの話をするとき、キャサリンの声は小さくなった。この話をするのは、今でもつらいことなのだろう。

「彼が苦しむ姿を見るのは、つらかったでしょう」

「そうね、愛する人が苦しむ姿を見るほどつらいことはないわ。いちばんつらいのは、自分には何もできないってことだからね……。どんなに愛していても、相手の苦しみや悲しみを取り除いてあげることはできない。私はただ見ていることしかできなかった。だから、誰かの役に立ちたいと思って医師になったのかもしれないわね」

キャサリンはリクライニングチェアに背中をもたせかけ、深呼吸をした。

第二次世界大戦で大切な人を亡くした人たちには、これまで何度も出会ったことがあったが、キャサリンのようなケースは初めてだった。戦死の多くは暴力によるものであり、死に至ったときの状況が定かでないことも多かった。だからこそ、遺族のグリーフは複雑になりえた。特に遺体が見つからない場合、遺される人は、愛する人の死を受け入れることが困難になる。その人の体はここにないのに、まだどこかで生きているような気がしてしまう。愛する人が身体的に不在であっても、いや、不在だからこそ、精神的な存在感は残るのだ。

しかし、キャサリンが経験したのはその逆だった。ボビーは目の前にいる。身体的には目の前に存在しているのに、精神的にはもういない人という感覚があったのだろう。戦争が始まる前の彼はもういないのだ、と。戦後、このような経験をした人はキャサリンだけではなかったはずだ。社会の中で、この気づかれることのない悲しみを抱えながら苦しんだ人たちが、いったいどれだけいたことだろうか。

「喪失やグリーフ……」

キャサリンがつぶやいた。

「こういうことは、経験するまでわからないことだと思うの」

これまでほとんど自分の話をしなかった彼女が、この日突然、心の窓を開いたように思えた。そして、その鍵《かぎ》を開けたのは、私自身の「喪失」だった。もしかすると彼女は、今の私となら安心して過去を共有できる、と感じたのかもしれない。同時に、自分の経験を語ることで、私に手を差し伸べようとしてくれたのだろう。

時代の犠牲になった彼らのために

いつからか、私は兄の夢を見るようになった。内容はその日によって異なるのだが、夢の中の兄はいつも生きていた。私はなんとかして兄の死を防ごうとする。そして、それができないと気づいたときに目が覚める。そんな日々が続いた。

まだ兄の死に対するショックがあったし、彼がまだ生きているという感覚もあった。兄とは長年別々の国で暮らしてきたので、死後も彼が東京で生きているような感じが強くあったのだろう。頭で理解していても、心では受け入れられなかったのだ。

私は、自らのモタリティ(mortality、死すべき運命)をはっきりと感じるようにもなっていた。兄の死因は「病死」であり、それ以外のことは定かではなかったので、同じことが自分に起こる可能性があると感じた。なんとも言えない不安を感じ、医師の友人たちに相談に乗ってもらうこともあった。

このようなショック、否定、恐怖、不安などのさまざまな感情は、グリーフの普通の症状だ。しかし、それを実際に経験するのと知識として理解しているのとでは、まったく異なることだった。キャサリンが言ったように、人生には自分がそこにたどり着くまでわからないことがたくさんある。グリーフもそのひとつなのだと知った。

キャサリンとの関係が近しくなってから、彼女が私に質問することが多くなった。私がアメリカに来た理由や、異国で暮らす経験などについて、彼女はとても興味をもっていた。

彼女の両親は、私がアメリカに来たのと同じくらいの年齢のころに、アイルランドから移民としてやってきたらしい。私が自分の話をすればするほど、キャサリンも過去を話すようになった。その内容は、やはりボビーのことが中心だった。

戦時中、ボビーに何が起こったのかを、キャサリンは詳しく知らなかった。彼がその話をすることもなかったらしい。彼女が知っていたのは、ボビーがバルジの戦いでドイツ軍の捕虜となり、その後、戦争終結までドイツの収容所に入っていた、ということだけだった。彼は生涯その記憶に悩まされ、悪夢やフラッシュバックに苦しんだそうだ。

ある日キャサリンは、第一子が生まれた直後に起こった出来事を話してくれた。家族で車に乗っていたとき、どこからか大きな音が聞こえたそうだ。運転していたボビーは突然車を止め、車から出ると、道路のわきで頭を抱えて地面に横たわってしまったという。ぶるぶると震えながら、「君も車から出るように！」と叫んだらしい。

「フラシュバックが起こるといつも、ボビーはまだ戦場で戦っているような行動をとるの。夜中汗だくで目を覚まして、叫んだりしたこともあったわ。彼にとって戦争が終わることはなかった。私たち家族にとっても……」

そう話すキャサリンの目は、涙にぬれて光っていた。数秒ごとに、窓際の風鈴が扇風機《せんぷうき》に揺れて音を立てている。秋の気配のする涼しい日だったが、風があると呼吸しやすくなるので、彼女はいつものように扇風機を回していた。

「『お酒を飲んでいるときだけ、悪夢を忘れられる』って彼がよく言ってたわ。飲む量がどんどん増えて、酔《よ》うと暴言を吐くときもあった……。子どもたちにとってもつらかったと思うの」

「離婚を考えたことは？」

「ええ、あるわよ。でも、できなかったの。私のボビーは戦争に行って、戻ってこなかった……。でも、彼に起こったことは、彼のせいじゃない」

彼女は涙をぬぐうと、顔をそむけた。窓の外には紅葉《こうよう》を始めた木々が見えた。ガゼボの隣のハナミズキも赤に変わりつつあった。キャサリンは窓に顔を近づけて外を見ている。

すると突然、何か思い立ったようにこちらを見た。

「ねえ、ジョニー・キャッシュの歌、知ってる？」

ジョニー・キャッシュは深みのある歌声で知られ、多くのファンに愛されているカントリーシンガーだ。ボビーが大ファンで、彼の歌をよく聴いていたらしい。ボビーと同じように、キャッシュもアルコール依存症に苦しんだことはよく知られている。彼の曲は、人生の苦しみや悲しみをテーマにしたものが多いのだ。
そして、ボビーの大好きだった曲のひとつが〝マン・イン・ブラック（Man in Black）〟[4]だったらしい。ベトナム戦争中にリリースされた曲で、私も知っていた。キャッシュはいつも全身黒の衣装を身にまとっていたのだが、この歌はその理由を唄いあげたものだ。

なぜ、僕が黒を着ているのか、君は知りたいだろう
なぜ、僕の背中には決して明るい色がないのか
そして、なぜ、僕がいつも憂鬱《ゆううつ》そうなのか
僕が身につけている物には、理由があるんだ

僕は、貧乏人《びんぼうにん》や疲れきった者のために黒を着る
希望を失い、町の貧《まず》しい片隅《かたすみ》で生きている人のために
僕は、とっくに代償を払い終えた囚人《しゅうじん》のために黒を着る
時代の犠牲になった彼らのために

私がギターの伴奏で唄うあいだ、キャサリンは目を閉じ、足でリズムを取っていた。彼女の顔には笑顔がちらっと浮かんでいた。

僕は、喪《も》に服して黒を着る
あったかもしれない人生のために

＊＊＊

ハロウィンが近づいたある日、ベッキーからの電話でキャサリンの容態が急変したことを知った。膣出血《ちつしゅっけつ》を起こし、重篤《じゅうとく》な状態だという。出血の理由はわからないが、転移しているがんが原因で内《ない》出血を起こしているのではないか、とベッキーは言った。

翌日キャサリンを訪問すると、彼女は青ざめた顔でベッドに横たわっていた。目を閉じていたが、私が近づくと目を開けた。調子はどうかと聞くと、キャサリンは冗談交じりに言った。

「私はタフ・オールド・バードね。まだ生きてるわよ」

タフな老鳥——つまり、周りの人をてこずらせるほどスタミナや精神力のある高齢者のことだ。普段より顔色も悪く、疲れているように見えたが、思ったより元気そうでほっとした。

「二五年ほど前に子宮摘出《しきゅうてきしゅつ》したのよ。だから出血なんて変な感じがするわ。でも、少なくとも妊娠《にんしん》してないってことね」

そう言ってキャサリンは大笑いした。その笑い声は、腹の底から出てきたようによく響きわたるもので、まるで子どもみたいだった。

彼女がドレッサーの引き出しに手を伸ばす。そしてそこから小さなノートを取り出すと、私に手渡して言った。

「これに名前を書いてほしいの。私のホスピス・フレンズの名前を覚えておきたいから」

私たちスタッフのことを、「ホスピス・フレンズ（友だち）」と呼んだ人はそれまでいなかったと思う。ノートには、ベッキーやアートセラピストのサインがあった。その下に自分の名前を書き足しノートを返すと、キャサリンは満足そうに微笑んだ。

彼女は、またジョニー・キャッシュの〝マン・イン・ブラック〟が聴きたいと言った。ボビーのことはいつも彼女の脳裏にあるようだった。私が唄うあいだ、キャサリンは目を閉じてゆっくりと呼吸していた。歌が終わったときには、だいぶ穏やかな表情になっていた。そして、彼女はつぶやいた。

「ジョニー・キャッシュは心から歌を唄った。だから特別なの」


その一週間後。私はキャサリンの老人ホームに住む別の患者さんを訪問した。セッションのあと、キャサリンの部屋の前を通ったので、様子を見ようとドアをノックした。誰も返事をしないので、ドアを開けてみると、空《から》のリクライニングチェアが目に入った。ベッドには誰もいないし、車椅子も見当たらない。もしかすると、キャサリンはすでに亡くなったのかもしれない。患者さんが亡くなった場合は連絡があるはずだが、なんらかの手違いで私にメッセージが届かなかったのかもしれない。

急いでスタッフを探し、キャサリンのことを聞いた。すると、若い女性スタッフが教えてくれた。

「キャサリン？　さっきみんなで紅葉を見にいったわよ」

彼女が紅葉を⁉　でも、いったいどうやって……？

「最近、ホームでバンを購入したの。キャサリンは以前から外に行きたいと言っていたでしょう？　だから、真っ先にお出かけしたのよ」

ほんの一週間前、キャサリンには死が迫っているかのように見えた。それなのに紅葉を見にいけるまで回復したとは。タフ・オールド・バード。彼女は、彼女が言ったとおりの人だった。

ホームを出ると、黄や赤に彩《いろど》られた葉っぱが風に揺れ、踊《おど》っているように見えた。頭上は真っ青な秋晴れだ。カラフルな中庭を歩きながら、キャサリンも今どこかでこの紅葉を見ているのだ、と思った。

一年ほど前に初めてここに来たときのことを思い出す。あれから私もキャサリンも大きく変わった気がした。何より彼女は私に心を開き、とても大切なことを教えてくれた。喪失にはさまざまなかたちがあり、グリーフは経験するまでわからないものだということを。私のグリーフはまだ始まったばかりだったが、少しずつ前に進める気がした。

Taking it day by day.

そう、一日一日を乗り越えていければいい。

1　J・W・ウォーデン『Grief Counseling and Grief Therapy』の中で引用されたジョン・ブラントナーの言葉をもとに著者訳。

2　著者訳。作詞＝Chauncey Olcott、編曲＝Lenny Carroll。

3　当時、POWと戦闘兵士のPTSDに関するリサーチは一九九三年の論文を参照した（"Psychopathology and psychiatric diagnoses of World War II Pacific theater prisoner of war survivors and combat veterans."）。ただし、このリサーチは太平洋戦争に参加した退役軍人を対象にしたものであり、ボビーが経験したのは欧州戦域だった。欧州戦域と太平洋戦争に参加した退役軍人のPTSDについて調べてみたところ、二〇〇九年に別の論文が発表されていた（"Persistence of traumatic memories in World War II prisoners of war."）。それによれば、退役軍人の一六・六％にPTSDの症状がみられ、そのうち三四％が太平洋戦争のPOWで、一二％が欧州戦域のPOWだったとされている。

4　著者訳。作詞・作曲＝Johnny Cash。

第六章

ホロコーストの記憶——「ナチスが来る!」

死んだ者を忘れることは、
彼らを二度殺すことになる。
エリ・ヴィーゼル[1]

二〇一八年一〇月、ある日の夕方。紅葉に染められたワシントンD.C.で犬の散歩をしていると、礼拝《れいはい》に向かう何名かのユダヤ人を見かけた。自宅の角を曲がったところにあるルーテル教会には、ときおりユダヤ人たちが礼拝のために集まってくるのだ。見た目はほかのアメリカ人と変わりないが、キッパをかぶっているためユダヤ人だとわかる。母親に手を引かれている五歳くらいの男の子も小さなキッパをかぶっていた。ふと、母親がこちらを振り返り目があった。その瞳には不安と緊張が満ちているように見えた。次いで一台の車がやってきた。老夫婦がゆっくりと降りてきて、レンガ舗装《ほそう》の上を教会に向かって歩いていく。その表情もまた、暗く険しいものだった。

無理もない。数日前、ある男がユダヤ人排斥《はいせき》の罵倒《ばとう》を繰り返しながらペンシルバニア州ピッツバーグのシナゴーグ（ユダヤ教礼拝所）で発砲し、一一人を殺害したのだ。この際、警官を含む六人が負傷。アメリカ国内でユダヤ人を標的にした事件としては過去最悪のものだと報道された。

ピッツバーグはワシントンD.C.から車で五時間ほどに位置する街で、戦後、数多くのホロコースト生存者が移住したことで知られる。事件が起こったシナゴーグはスクイレルヒルという地域にあり、市内のユダヤ人コミュニティーの中心となる場所だった。

「この事件は、ひとりの男が激しいヘイトを抱いたために起こったことだけど、それだけじゃない。アメリカで反ユダヤ主義が高まっていることも原因だわ」

発砲事件で隣人を失ったホロコースト生存者の女性がNBCニュースで語った言葉だ。[2]礼拝に四分遅れたために助かった男性も同じ番組で、「また生き延びた。今回で二度目だ」と述べた。彼もホロコーストの生き残りだった。さらに、アウシュヴィッツ・ビルケナウ強制収容所から生還した女性もインタビューを受けていた。

「ジェノサイド（集団殺戮《さつりく》）は、ある瞬間から次の瞬間に起こるものではないわ。徐々に形成されるものよ」

強制収容所で両親や親戚を殺されたこの女性は、ふたたびホロコーストのようなことが起こるのではないかという不安を吐露《とろ》した。

ホロコーストは、ふたたび起こりえるのだろうか？　たいていのアメリカ人は、その可能性があると思っている。というのも、ユダヤ人犠牲者らを代理・支援する団体「Claims Conference（ユダヤ人対独物的請求会議《たいどくぶってきせいきゅうかいぎ》）」が二〇一八年二月に行なった調査結果では、五八％のアメリカ人がこの問いに対してイエスと答えているからだ。また、アメリカ人の三一％、ミレニアル世代（一九八〇年代序盤から九〇年代中盤に生まれた世代）の四一％が、ホロコーストの犠牲者数は二〇〇〇万人以下だと回答した（実際にはおよそ六〇〇万人）。さらに驚きだったのは、アメリカ人の四一％、ミレニアル世代の六六％が「アウシュビッツ」が何かを知らないと答えたことだ。フランス人やオーストリア人を対象に同団体が行なった調査でも、似たような結果が報告されている。ホロコーストの記憶が薄れていることや反ユダヤ主義への懸念が高まっていることが、浮き彫りになったかたちだ。[3]

近年、世界各国で反ユダヤ主義、ナショナリズム、ゼノフォビア（外国の人や彼らの習慣、宗教に対する嫌悪感）が広がりを見せており、その傾向はアメリカでも見られる。ＦＢＩの調査によれば、二〇一七年のヘイトクライムの発生件数は、前の年に比べて一七％、反ユダヤの犯罪件数は三七％増加したという[4]。

礼拝に向かうユダヤ人たちの深刻な表情の裏には、そのような状況があったのだ。そんな彼らの姿を見ながら私が思い浮かべたのは、ホスピスで出会ったホロコースト生存者の患者さんたちのことだった。彼らの腕には、強制収容所で刻み込まれた識別《しきべつ》番号があった。年月が経ち、色あせてはいたものの、それは明らかな傷として残り、その壮絶な過去を雄弁に物語っていた。しかし、心の傷は、体の傷よりもさらに深かった。

忘れたくても忘れられない記憶こそ、人生の最期によみがえるのだ。

「ナチスが来る！」と彼女は叫んだ

二〇〇五年、音楽療法士になって数年が経ったころ、マリーという患者さんがホスピス病棟に入院してきた。チャプレンの話によれば、マリーはドイツから移民してきた人で、英語は理解できるがドイツ語のほうが流暢らしかった。母国の音楽を弾いたら喜ぶのではないか、とチャプレンは言った。

マリーは七〇代後半の女性で、末期がんだった。毛布をかけてベッドに静かに横たわっていたが、目は開いていた。私が英語で自己紹介すると、彼女は疲れた表情でこちらをじっと見た。目は細く、顔には深いしわが幾筋《いくすじ》も刻まれていた。

音楽は好きですか、と聞くと小さくうなずいた。しかし、どんな音楽が好きかという質問には答えず、ただ私のほうを見ているだけ。視線は私を通り越して、別の何かを見据えているようだった。

キーボードをベッドの足元に置き、〝ブラームスの子守唄〟を弾きはじめた。変化があったのは、曲を半分ほど弾き終えたころ。急に彼女の顔が張り詰めたかのように見えたのだ。シーツの下に隠れた足が不自然な動きをしはじめて、呼吸も早くなっていった。

演奏を止め、急いで彼女に近寄る。

「大丈夫ですか？」

すると突然、マリーが私の手首をつかみ、悲鳴を上げた。

「彼らが来る！」

その目は恐怖に満ちていた。来るとは、いったい「誰」のことだろう？　私がたずねると、彼女は今にも泣き出しそうな顔で叫んだ。

「ナチス!!」

そして、私の腕をさらに強くつかんだのだ。小刻みに震えるか細い手。あまりにも突然のことで動揺したが、まず自分を落ち着かせなければと思った。

「大丈夫。彼らは来ませんよ。あなたは安全です」

しかし、彼女に私の言葉は聞こえていないようだった。

「彼らが来る……!」

目を大きく見開き、マリーが私を見る。

私はそれまで、そしてその後も、これほどまでに恐怖に囚われた人を見たことがない。この人はユダヤ人であり、ホロコーストの生存者に違いないと直感した。とにかく、なんとかして彼女を落ち着かせなければと思い、私は声をかけつづけた。

「大丈夫。心配はありません。あなたはホスピスにいるんですよ。ここは安全な場所です」

その言葉がどれだけ届いているのか、定かではなかった。彼女はまるで、私には触れることのできない、まったく別の世界にいるかのようだった。

マリーの手を握りながら彼女の部屋を見渡すと、たくさんの写真が飾られている。孫や子どもたちの笑顔――その中に一枚だけマリーの写真を見つけた。ひまわり畑で撮影された写真で、夕陽が彼女のふっくらとした顔を照らしていた。白髪を後ろで束ね、クリーム色のドレスに身を包んだ彼女は、これ以上ないほどに幸せそうな笑顔を浮かべていた。それほど前に撮影されたものとは思えない。ほんの数年前という感じがした。

これを見る限り、家族の愛に囲まれ、平和な人生を送ってきた人に見える。でも、写真の中のマリーと目の前にいる彼女は、まるで別人のようだった。

今、この人にいったい何が起こっているのだろう？

それからどれくらいの時間が経ったか覚えていない。マリーがようやく眠りにつくと、私は静かに部屋をあとにした。

生き残った者の最期

その日の午後、マリーの娘さんのソフィーと話をする機会を得た。ハチミツ色の髪の美しい女性で、毎日母親の面会に来ているという。セッション中に起こったことを話すと、ソフィーはその瞳を涙でぬらした。

「母はユダヤ人で、アウシュビッツの生存者なんです。若いころに強制収容所に送られて、家族みんな殺されて、ひとり生き残ったんです……」

強制収容所が解放された年、マリーは一七歳くらいだったことになる。その後アメリカに移民し、結婚した彼女は、シンシナティ郊外で農業を営んだそうだ。三人の子どもと孫たちに恵まれ、ごく平凡で幸せな人生を送った――。

少なくともソフィーは、今までそう思っていたそうだ。

「母がホロコーストの経験を話したことは一度もないんです。あまりにもつらい経験なんだと思います。だから私もそのことについて聞いたことがなくて……」

それ以上は言葉が続かず、彼女は手のひらで顔を覆い、涙をぬぐった。

マリーの精神状態は、日に日に悪化する一方だった。チャプレン、ソーシャルワーカー、アートセラピスト、マッサージセラピストなど、さまざまなスタッフが訪問したが、彼女の心をやわらげることができる人はひとりもいなかった。音、光、触れられることなど、あらゆる刺激が彼女に恐怖をもたらすようだった。

カーテンを閉めた暗い部屋でマリーは日々を過ごした。彼女が落ち着けるのは、眠っているときだけ。目を覚ませば「ナチスが来る!」「助けて!」と泣き叫び、震え出すのだった。

そのうちソフィーが面会に来なくなった。母親のこのような姿を見るのがつらすぎたのだろう。その気持ちはホスピススタッフにもよくわかった。マリーの苦しむ姿を見ていることしかできない私たちも、途方もない無力感に襲われていたからだ。

マリーは死の直前まで、ホロコーストがふたたび起こっているのだと、信じ込んでいるようだった。彼女は想像を絶する恐怖とともに亡くなったと思う。

彼女の死から数週間後、私は夢を見た。何かから必死で逃げている夢――その「何か」の正体はわからないが、それがとても危険なものであることは明らかで、影のようにどこまでも追いかけてくるのだった。私はなんとか逃げおおせたものの、その過程でほかの人たちが「何か」に殺されていくのを目撃した。

目が覚めたとき、夢だと気づいて心底ほっとした。同時に、恐怖心と自分だけが生き延びたという罪悪感に襲われた。それは今までの人生において、実際に経験したことのない感覚だった。なぜこんな夢を見たのだろう？　心の中を探っていると、マリーの叫び声が聞こえてきた。

「彼らが来る！　ナチスが来る!!」

そして、最初に会った日に見た彼女の恐怖と絶望に満ちた表情を思い出したのだった。

これまでも私は、死に直面し、恐怖を抱いている患者さんの姿を何度も見てきた。たいていの場合、彼らが恐れているのはまだ起こっていないことであり、起こるかもしれない未知の事柄だった。死そのものに対する恐怖、身体の痛みが増すことや家族を残して旅立つこと、地獄に行くかもしれない恐怖、などだ。

でも、マリーの場合はそのどれとも違った。彼女の目は、死を超えるほどの何か、まさに恐怖そのものとしか言えないような何かを、すでに目撃したことがあるかのように見えた。私たちには想像もできない、人間が見るべきではない何か——。

彼女の最期は、私が今までに見た死の中で、最も悲惨なもののひとつだった。その光景は私の中でも消化しきれずに残っていて、忘れようとしても忘れられないでいる。何かにとりつかれたような重い気持ちだけが残っている。だからこそ、それは夢となって表れたのだろう。

ホロコーストの「わからなさ」

マリーの人生の最期に、いったい何が起こっていたのか。それを深く理解するためには、ホロコーストについてもっと知る必要があると思った。特に、なぜホロコーストが起こったのか、という点について。本や映画を通じてある程度のことは知っていたつもりだったが、私はマリーと出会うことで、知らないことのほうがはるかに多いことに気づいたのだ。

ヒトラーが権力を掌握《しょうあく》した一九三三年、ドイツは第一次世界大戦後の経済不況に襲われていた。六〇〇万人の失業者を抱え、不安定な社会情勢だった。ヒトラーはユダヤ人を「スケープゴート」として利用し、ドイツ社会の崩壊をユダヤ人のせいだと非難した。ナチスはヨーロッパ文化に定着していたさまざまな反ユダヤ主義に関する誤った通念を巧《たく》みに利用し、ドイツ人は「アーリア人」と呼ばれる優《すぐ》れた人種であり、ユダヤ人は劣等《れっとう》な人々であると主張した。

命令とはいえ、なぜドイツ人はユダヤ人の集団殺戮という残虐《ざんぎゃく》なことを行なえたのだろうか。この問いに答えようとしたのが、かの有名な「ミルグラム実験」（通称「アイヒマン実験」）である。一九六〇年代にイェール大学で行なわれたもので、権威者の指示に従う人間の心理を調査したものだ。この実験は、どんな人間であっても、一定の条件さえ揃えば非人道的な行為に至る可能性があることを示した。

大学時代に心理学の講義でミルグラム実験について学んだとき、ホロコーストはドイツ人だから起こったことではない、ということが印象に残っていた。誰もが冷酷《れいこく》なことを行なう「可能性がある」ということを、恐ろしいと思った。

しかし、こうしたことはマリーと出会う前から知っていた。私がわからなかったのは、なぜ、人々があんなにもヒトラーを慕《した》い、信じたのか、ということだ。集会やパレードで、一般市民（特に若者たち）が目を輝かせ、熱狂的にヒトラーを支持している写真を何度も見たことがあった。まるでロックスターか神を見るかのような目。それは陶酔《とうすい》としか言えないような有様だった。

ヒトラーはドイツ人が切望していたもの、信じたかったものを与えてくれたのだろう。では、それはいったいなんだったのか？　それが理解できなかった。いずれにしても、ヒトラーのもつ暗い側面を見えなくさせるほどに、彼がドイツ国民に呼び起こした感情は強いものだったに違いない。

ホロコースト生存者でノーベル平和賞を受賞したエリ・ヴィーゼルは、著書『Night（夜）』の中で、アウシュビッツ強制収容所での体験を記している。強制収容所に到着した日、母と妹はガス室へ送られ、ヴィーゼルは子どもたちが燃えさかる炎の中に投げ入れられ、焼き殺される光景を目の当たりにした。収容所では父親も一緒だったが、終戦を迎える前に亡くなっている。

解放されたとき、ヴィーゼルは一六歳。マリーと同じくらいの年齢だ。子どもの視線から見た強制収容所の体験談を通じて、彼らが経験した現実と身の毛のよだつほどの恐怖の一端を垣間見ることができた。でも、やはり、なぜホロコーストのような恐ろしいことが起こったのか、という根本的な問いへの答えは、そこでは見つからなかった。

そしてそれは、ヴィーゼルも同じだったようだ。あるインタビューで、彼はこう語っている。[5]

「(ホロコーストの)意味は僕にもわからない。なぜ起こったのかもわからない。どのようにして起こったのかもわからない。いまだに、本当に何もわからないんだ」

そこに居合わせた者の恐怖

マリーとの出会いから五年ほど経ったころ、私はジェリーというドイツ系アメリカ人の患者さんと出会った。アルツハイマー型認知症の末期の患者さんで、老人ホームに住んでいた。自分の名前はわかるが、それ以外のことはほとんどわからない状態で、意味のある会話をするのは不可能だった。それでもいつも機嫌《きげん》がよく、愉快な人だった。

ジェリーは昔からハーモニカを吹くのが趣味で、音楽が大好きだという。特に一九五〇年代から七〇年代に人気だったテレビ番組の司会者で、アコーディオン奏者のローレンス・ウェルクの大ファン。ウェルクはドイツ系アメリカ人で、話し方にはドイツ語訛《なま》りがあった。アメリカ国内で人気者だったが、ドイツ系アメリカ人の多いシンシナティ市民の中では知らない人がいないほど人気があったようだ。

ジェリーはいつもジーンズのポケットにハーモニカを忍《しの》ばせていて、音楽が始まるとそれを取り出し、吹き出すのだった。ときおり「いい歌だ」とか「もっと弾こう！」などと言うことはあったが、それ以外の会話はほとんどなかった。音楽を通じての交流だけが、私たちのすべてだった。

ジェリーが愛したのは、ウェルクもカバーしたことのある〝ビア・バレル・ポルカ(Beer Barrel Polka)〟というアップビートで陽気な曲。もともとはチェコの音楽家が作曲したものだが、第二次世界大戦中に世界中で有名になり、さまざまな言語に訳された。

初めてのセッションから数カ月経ったある日、いつものように何曲か一緒に演奏し、最後に〝ビア・バレル・ポルカ〟を弾いた。ジェリーは足でリズムをとりながら、両手でハーモニカを握り、私のギターの伴奏に合わせて吹いていた。ハーモニカの甲高《かんだか》い音色と、ポルカの速いリズムの調和。曲が終わると、ジェリーは満面の笑みを浮かべた。

セッションを終えると、私は帰り支度をし、ジェリーにさよならを告げるために振り返った。すると、彼は部屋の隅にある棚まで車椅子を押して移動し、棚の上にある何かを指差した。そして突然、今までに見たことのない真剣な表情で私を見たのだ。繰り返し何かを指差しつづけるジェリー。彼のグリーンの目は必死に何かを訴えているようだった。

ギターを床に置いて近づき、彼が指差している物を見た。それは、第二次世界大戦の写真集だった。開かれたままそこに置かれている。そのページに目をやると、飛び込んできたのは強制収容所の光景だった。ジェリーは信じられないという表情で、繰り返しその写真を指差している。私にそれをしっかり見るように、促《うなが》しているようだった。

注意深く見てみると、ストライプのパジャマを着て、骨と皮だけになったユダヤ人の男性たちが有刺鉄線《ゆうしてっせん》の向こうからこちらをじっと見ているのがわかる。その隣には、死体が山積みになったトラックと、それを目の前に立ち尽くすアメリカ軍の兵士らしき人たちを映した写真があった。下には「ブーヘンヴァルト強制収容所」と記されている。

「あー、あー」

ジェリーは必死で何かを言おうとしているが、言葉が出てこないようだ。以前、娘さんと話した際、彼が第二次世界大戦の退役軍人だと言っていたことを思い出した。もしかすると、ジェリーはヨーロッパ戦を戦い、強制収容所を解放したアメリカ軍人だったのかもしれない。

「この光景を見たことがあるのですか？」

そうたずねると、彼は何度か首を縦に振り、人差し指で写真をトントンと叩いた。

「あー、あー」

このように彼が私に何かを伝えようとしたのは、初めてのことだった。眉間にしわを寄せ、口を動かしつづけていた。

「何か言いたいのですね？」

ふたたびたずねると、彼はさらに深くうなずき、何かを訴えかけるような目で私を見た。その瞳には恐怖と驚きが宿っていた。何年も前に見たマリーと同じ、人間には想像できない、理解の及ばない光景を目撃してしまった人の目。彼はこの場に遭遇《そうぐう》したに違いなかった。

忘れたかったはずの記憶

セッションのあと、娘のハナと電話で話をした。ハナは高校の先生で父親と仲がよく、音楽療法をリクエストしたのも彼女だった。セッションでの出来事を話すと、思ったとおり、ジェリーは強制収容所を解放した軍に所属していたのだと教えてくれた。収容所の名は、ブーヘンヴァルト。私が見た写真の場所だ。ドイツ国内にあった最も大きな収容所のひとつで、一九四五年四月にアメリカ軍に解放された。

私は、この収容所の名前を知っていた。エリ・ヴィーゼルの自伝に、囚人たちがアウシュビッツ強制収容所から別の場所に行進させられたという話があったのだ。過酷な状況下で大勢の人が命を落としたそうだが、最終的に彼らがたどり着いた地こそ、ブーヘンヴァルト強制収容所だったという。そして、その数カ月後にヴィーゼルは解放された。

ジェリーは、そこに居合わせた兵士のひとりだったのだ。

「そのときの話は、父から何度か聞いたことがあるの。でも、その光景は、言葉ではとても表現できないと言っていたわ。写真や映像からは、死体の臭いや恐ろしさを伝えることができない、って……」

ハナは電話越しに言った。

「そのほかに、お父さんは強制収容所について何か話していましたか？」

少しの沈黙ののち、ハナが言った。

「……ひとつ思い出したわ。父から一度だけ聞いた話。ブーヘンヴァルトで、四、五歳くらいの小さな男の子が地面にうずくまっていたらしいの。その子を抱きかかえたとき、とても軽かった。痩せていて、皮だけで、もう死んでいるのかと思ったら、目を開いて父のことを見たらしいの……。でも、次の瞬間にうめき声を出して、父の腕の中で亡くなったそうよ。そのことがずっと忘れられなかったみたい。そのことを泣きながら話してくれたことがあったわ……」

ハナの声が電話越しに震えていた。

アルツハイマー型認知症が進んでいるジェリーにはもう、娘の名前すら思い出すことが難しかった。唯一覚えているのは、好きだった音楽と、遠い昔のいくつかの記憶だけ。その記憶のひとつが、戦時中に見た強制収容所の光景とは……。おそらくそれは、忘れたかった記憶に違いない。彼はそこで、人間の最も暗く、邪悪《じゃあく》な一面を目の当たりにしたのだろう。あの日、彼の目が私に訴えかけていたのは、この悲劇から目を背けないように、ということだったのかもしれない。

「人間になんでこんなことができるのかわからない、って父がよく言っていたわ」

ハナが付け足した。

ジェリーもまた、私と同じ疑問を抱いていたのだ。人生の最期に至るまで。

かつての「味方」

同じ年の暮れのある日、私は病棟で患者さんを訪問して回っていた。外には雪が積もり、風の強い午後だった。その日の朝入院してきた新しい患者さんの部屋をノックすると、返事がなかった。私がそっとドアを開けると、カーテンを閉めた真っ暗な部屋で、長身の男性がベッドに横たわっていた。白い口ひげに鋭い目……。いつものようにファーストネームで自己紹介すると、彼は私のネームタグをじっと見つめた。そして突然、目を丸くしてこう言った。

「きみ、日本人!?」

そうです、と答えるのとほぼ同時に、男性は両手を伸ばし、私の左手を強く握ってきた。

「僕はドイツ兵士として戦争を戦ったんだ……。僕たちの国は味方同士だった……」

彼は急に泣き出した。泣き止むことができない子どものように、声をあげている。今までずっとこらえていたものがこらえられなくなった、そんな泣き方だった。

これまで私が「日本人」ということで、戦争中の出来事を話してくれた退役軍人はたくさんいたが、ドイツ軍の兵士として戦った人に出会ったのは初めてだった。しかも「味方同士だった」という彼の言葉は予想外のものだった。確かに、当時ドイツと日本は「日独伊三国同盟」を結んでいたが、実際には一緒に戦ったわけではないし、あくまでも政治的な同盟だった。少なくとも私にとっては、そういうイメージしかなかった。でも、彼にとっては別の意味があったのだろう。

彼が落ち着いたタイミングで、私は自らが音楽療法士であることを説明し、音楽が聴きたいかどうかをたずねた。すると彼は首を横に振り、今、音楽を聞いたら感情的になりすぎてしまう、というようなことを口にした。目を閉じ、深く息を吸う。まるで、自分で自分を落ち着かせようとしているかのように。そして、彼は言ったのだった。

「今、きみに会えて本当に嬉しい。また来てくれ」

カルテによれば、男性の名前はレイモンド。「レイ」と呼ばれているという。八四歳の末期がんの患者さんで、疼痛《とうつう》ケアのために入院してきたようだ。戦後、アメリカに移住し、退職前は市内で保険会社に勤務していた、と書いてあった。

第二次世界大戦後、何十万人ものドイツ人がアメリカに移民した。[6] シンシナティはアメリカ国内で最もドイツ系移民の多い町のひとつだから、戦後に大勢の人たちが移住してきたのだろう。その中には、マリーのようなホロコースト生存者もいれば、レイのような元ドイツ兵士もいた――。

考えてみれば当然のことだが、あまり聞く話ではなかった。かつての「敵国」だったアメリカに移住した元ドイツ兵が、先の戦争体験をアメリカ人に打ち明けるのは難しかっただろうし、もし話したとしても、共感はしてもらえなかっただろう。レイのような人たちは、過去の記憶を心のうちに秘めて、ひっそりと生きてきたのかもしれない。

虐げた者の記憶

一週間後にレイの部屋を訪れると、前回と同じようにカーテンが閉まっていた。薄暗い部屋にひとり、テレビもつけず、ひっそりとベッドに横たわっていた。私を見ると軽くうなずいて挨拶をした。そして、私がベッドの隣の椅子に座った途端にこう言った。

「死んだらどこに行くと思う？」

突然の質問に驚いた。レイはいたって真面目に、刺すようなまなざしで私を見ている。

「わかりません。あなたはどう思いますか？」

「暗い森の中に行くようなものだ」

「暗い森？」

彼は目をそらすと、どこか遠くのほうを見た。

「霧《きり》がかかった暗闇の中に、木々がうっすらと見える。辺り一面は雪……」

まるでその森が目の前にあるかのように、彼はその光景について語り出した。

「そこに行ったことがあるのですか？」

「遠い昔にね……」

カーテンの隙間から陽射しがもれ、一瞬、レイの目に入った。目を細め、手で光を遮《さえぎ》る動作をしている。そのとき、彼の腕に怪我の跡があるのを見つけた。もしかすると、戦争で負傷したのかもしれない、と思った。

「その場所はどこですか？」

「ロシアだよ。僕はロシアに送られたんだ。そこで気づいたのさ」

「……何に？」

「自分が間違っていた、ってことにさ」

レイの横顔は疲れきっていた。病による体力の衰《おとろ》えもあるだろうが、それ以上に、多くの困難を生き抜いてきたという現実が、顔の表面ににじみ出ているかのように思えた。

私は、その「間違っていたこと」について詳しく話してくれないか、とたずねた。

レイは表情ひとつ変えず、淡々と語りはじめた。

一〇歳のころ、レイはヒトラーユーゲント（ナチス党内の青少年組織）に入った。[7] 母親は反対したが、同年代の子どもたちの多くが参加していたので、ごく普通のことだと思ったという。幼いころから「ドイツは素晴らしい国だ」と聞かされながら育ち、「ドイツ人はほかの民族より優れている」と教えられてきた。レイは、それらナチスのイデオロギーを疑うことなしに信じ込んでいたという。だから、ユダヤ人のクラスメイトが強制送還《そうかん》されるのを見たとき、かわいそうだとは思ったが、仕方がないことだと感じたという。

ヒトラーユーゲントでの活動について、彼が思い出すのは音楽だった。いつも仲間と一緒に歌を唄っていたそうだ。唄うことで周囲との一体感が強まり、ある種の陶酔感さえあったという。

ロシアに送られたころ、レイはまだ若かった。本来ならば高校で勉強しているはずの年ごろに、前線に送られた。そのときに目にしたのが「暗い森」の光景だ。辺り一面には、死体が転がっていたという。

「気づくと僕の顔に雪が降りかかってきていて、それで急に穏やかな気持ちになったのを覚えてる。周りは静かで、物音ひとつ聞こえない。そのとき、母さんは正しかった、自分は間違っていた、と気づいたんだ」

レイは涙をこらえているようだった。

「最近、あの森の夢をよく見るんだ。多分、死が近いんだと思う」

「そのことについてどう感じますか?」

「怖くはないよ」

遠くを見つめながら、彼は言った。張り詰めていた何かがゆるんだような表情で。

最終的に彼の予想は当たった。レイが亡くなったのは、それから数日後のことだった。

歴史は繰り返されるのか

私はレイに聞きたいことが山ほどあった。それでも、残されたのはあの日の会話だけだった。彼の言葉を何度も思い返した。「ドイツは素晴らしい」「ドイツ人はほかの人より優れている」――その教えを心から信じていた、と彼は語った。ヒトラーユーゲントでは、仲間たちとの「一体感」に、ある種の陶酔さえ感じたとも。

自国に対する誇り、他者に対する優越感、仲間との強い一体感やそれを求めてやまない気持ち……。このような感情は、レイをはじめとするドイツ人に特有のものなのだろうか？　それはおそらく、私たちの中に少なからず存在する、共通の感情だろう。一見、無邪気な感情に思えるが、ときにそれは、自分と異なる人々への抑圧を正当化するために利用されることもある。

ホロコーストはどうして起こったのか。

なぜ人々はヒトラーを信じ、あの狂気を現実のものにできたのか。

私の中にあった疑問が、ふっと解けた気がした。もちろん、さまざまな時代背景があっただろうし、理由もひとつではなかったはずだ。それでも、レイが語ったあの普遍的で無意識と言ってもいいような感情が、あの惨劇《さんげき》の背景にはあったのではないか。自分たちのことを誇りたい、個人を超えたひとつの目的のもとで周囲と同化したいという感情は、ある特定の状況下で浮かび上がり、強化されるのだろう。[8]

自らの過去を語った日、レイは最後にこうも言っていた。

「ホロコーストみたいなことは、また起こる可能性があると思う。人間はそんなに変わってはいないから」

私はレイの見解が間違いであってほしいと思った。なぜなら戦後、人々はあの大きすぎる過ちから学び、二度とそれを繰り返さないようにと固く誓ったはずだから。しかし、今日《こんにち》のナショナリズム、人種差別、ゼノフォビアの世界的な高まりを見ていると、レイの言葉を否定することはできないのではないか。そんな気がしてならない。

＊＊＊

二〇二〇年一月二七日、アウシュビッツ・ビルケナウ強制収容所が解放されてから七五年の月日が経った。この日は「国際ホロコースト記念日」とされている。

ホロコーストの生存者のほとんどはもうこの世にいないが、その記念すべき日の二日前、ワルシャワで暮らす九六歳の生存者の言葉がニューヨークタイムズ紙に掲載された。[9]

「私は（ホロコーストが）二度と起こらない、とは言えない。今日の指導者たちは、危険な野心、誇り、そして他人よりも優れているという感覚をいまだにもっている。それがどんな結果を生む可能性があるか、私たちは知っているのだ」

いつか、ホロコーストの生存者がこの世からひとりもいなくなる日がくる。これは、彼らからの最後の警告なのかもしれない。

1　『Night（夜）』より著者訳。

2　“Holocaust survivors shaken by Pittsburgh synagogue attack”（NBC NEWS）を参照。

3　ユダヤ人対独物的請求会議は、米国におけるホロコーストの認識に関する包括的な調査を行なうためにSchoen Consultingに調査（二〇一八年二月二三日〜二七日）を依頼した（“New Survey by Claims Conference Finds Significant Lack of Holocaust Knowledge in the United States”）。本文でもふれたように、同会議はフランスとオーストリアについても調査結果を公表している。フランスでは、五二%のフランス人がホロコーストはふたたび起こるかもしれないと回答。また、フランス人の五八%が、フランスはホロコーストの被害者でもあり加害者でもあると答えた。さらに、フランス人の七四%が国内で起きたユダヤ人大量検挙事件「ヴェル・ディヴ事件」を知っていた一方で、パリ郊外にあったドランシー収容所の存在についてはたった二%しか知らなかった（“Stunning Survey of French Adults Reveals Critical Gaps in Holocaust Knowledge”）。オーストリアでは、五八%のオーストリア人がホロコーストはふたたび起こるかもしれないと回答。さらに、オーストリア人の六八%がオーストリアはホロコーストの被害者でもあり加害者でもあると答え、四二%のオーストリア人は、国内にあったマウトハウゼン強制収容所の名前を挙げることができなかった（“New Survey by the Claims Conference Finds Critical Gaps in Holocaust Knowledge in Austria”）。

4　“2017 Hate Crime Statistics Released”（FBI）を参照。

5　“Fresh Air Remembers Elie Wiesel, Holocaust Survivor And Nobel Peace Laureate”（NPR）

を参照。

6 米国の議会図書館で公開されている資料“The Germans in America”によれば、一九五〇年代には五八万人のドイツ人が、一九六〇年代には二一万人のドイツ人がアメリカに移民した。

7 “Indoctrinating Youth”（Holocaust Encyclopedia）によれば、一九二〇年代以降、ナチスはプロパガンダ・メッセージの聴衆としてドイツの若者を標的にした。ヒトラーユーゲントのメンバー数は一九三三年一月に五万人だったが、その年の暮れには二〇〇万人に増えた。レイが入会した一九三六年は五四〇万人、一九三九年には義務化された。

8 ヒトラーユーゲントのメンバーだった人たちの体験談を読む中で、ドイツ女子同盟（ＢＤＭ、ナチスがドイツに住む未成年の少女を統制するために設立した組織）に所属していたメリタ・マシュマンのメモアールに出会った。そこには、攻撃的かつ感傷的なメロディーがもつ魅力や、仲間との強い一体感などについての記述があった。こうした感情は、レイに限らず当時のドイツの若者に共通のものだったのだろう（Spartacus Educational の“Melita Maschmann”の項を参照）。

9 “75 Years After Auschwitz Liberation, Worry That ‘Never Again’ Is Not Assured”（The New York Times）を参照。

第三部

忘却と記憶

Forgetting, Remembering

第七章

祖父が語らなかったこと

自分が似たような状況で同じことをしたかどうか、
正直に自問しない限り、誰も他人を判断すべきではない。
ヴィクトール・E・フランクル[1]

二〇〇四年の夏に一時帰国した際、私は両親の実家のある福島を訪ねた。九〇歳を目前とした祖父母に会うのはこれが最後になるかもしれないと思ったからだ。

ある日の朝食のあと、縁側《えんがわ》にひとり座っていると、祖父がどこからか一枚の写真を持ってきた。二〇代くらいのハンサムな青年が軍服を着ている白黒写真。

「これ、もしかしておじいちゃん⁉」

腰を曲げて隣にたたずむ祖父が笑顔でうなずいた。

奥深い目と太い眉毛に面影《おもかげ》が認められるが、祖父の若いころの写真を見たのは初めてだったので少々驚いた。この人にも若いころがあったんだ……。そんな当たり前のこと、考えてみたことすらなかった。

そもそも、祖父が自らの過去を私に語ったこともなかった。「おじいさんは第二次世界大戦中に徴兵されたの」――母から以前、そんな話を聞いたことがあったが、戦時中、具体的に何をしていたのかまでは知らなかった。

そのことについて聞いてみると、「たいしたことはしてなかった。内地《ないち》で仲間たちと一緒に訓練《くんれん》したり、そんなことしてただけ」と、祖父は冗談っぽく言った。私がさらに「じゃあ、戦地には送られなかったの?」とたずねると、祖父の顔から一瞬、笑顔が消えた。真剣な表情になったのもつかの間、すぐに表情をゆるませ、まるでわが子に昔話を聞かせるかの

青年時代の祖父／著者提供

ような口調で語り出した。

「戦争の終わりのころ、南方《なんぽう》に送られそうになったんだが……。小さい子どもがいるから送らないでほしいと上官《じょうかん》に頼んだわけだ。それで助かったの」

ということは、祖父はただ「運がよかった」ということだろうか。

「そうだ」

そう言うと、祖父はまた笑顔になった。

ふたたび写真に目を移すと、軍服の青年は左手を後ろにまわし、どこか遠くを見つめていた。二〇代とはいえ、その顔立ちには少年らしさが残っている。この彼が、「戦地に送らないでくれ」と、上官に頼んだのだと祖父は言う。

そのようなことが本当にありえたのだろうか？　お国のために死ぬのが当たり前とされていた時代に、そんなリスクを彼が冒《おか》したのだろうか？

当時、祖父にはすでにふたりの娘がいて、終戦の前年にひとり息子も生まれていた。「小さい子どもがいるから」というのは、確かにそうだ。でも、ほかの人の事情もそんなに変わらなかったはず。私の母は、戦後に生まれた娘のひとりで末っ子にあたる。もし、祖父が戦死していたとしたら、母は生まれていなかったことになる。

私は今、祖父に何を聞かされているのだろう？

ふと顔を上げると、祖父はもう居間のほうに歩いていってしまっていた。しばらくすると、祖父が自転車に乗ってどこかへ向かう姿が見えた。麦わら帽子をかぶり、長靴をはいている。きっと畑に行くのだろう。

私は、この短いやりとりをなんとか頭の中で整理しようとしたが、どうしてもこれまで抱いてきた祖父のイメージと一致しなかった。祖父は生涯、福島の小さな田舎町で静かに農家を営んできた。頑固《がんこ》で意志は強いが、周りと違ったことをしたり、何かとっぴな考え方をするような人でもない。少なくともそれまでは、そう思っていた。

しかし、私は祖父のことを「おじいちゃん」としか見たことがなく、彼がどういう人間で、どのような人生を送ってきたのかを、ほとんど何も知らなかったのである。

祖父の戦争を、私は知らない

祖父のあとを追い、畑へと自転車を走らせた。長い坂を下るあいだ、草と肥料の懐かしいにおいがした。遠くには青々とした山がそびえ、そのふもとには阿武隈川《あぶくまがわ》が流れている。見渡す限りの桃の木と畑、田んぼは、永遠に続くかのようにさえ思われる……。

畑につくと、古い麦わら帽をかぶり、白いタオルを首からかけた祖父が、じょうろで水やりをしていた。腰が曲がって歩きも遅いが、動きに無駄がない。私を見ると、「来たのか」というようなことを言い、嬉しそうに笑った。

畑は祖父の生きがいで、ふだん無口な彼が、野菜のことになると口を開くことを私は知っていた。その日も、この小さな畑で育てているたくさんの野菜について、指差しながら教えてくれた。

「これがナス、キュウリ。こっちはインゲン、トウモロコシ、スイカ、カボチャもある」

限りある土地を無駄にしないよう工夫して、なるべく多くの種類を育てているようだった。私は子どものころから祖父の野菜を食べて育った。父が転勤族のため引っ越しが多かった私は、仙台《せんだい》、東京、山梨で暮らしてきたが、どこにいても、年中新鮮な野菜が送られてきた。あまりにも頻繁だったから、子どものころはそれが普通で、どの子にもこういうおじいちゃんがいるものだと思っていた。

しばらくすると、祖父は畑のわきに腰かけ一休みした。その隣では七〇代後半くらいの男性が畑仕事をしている。ほかには誰もいない。セミの鳴き声と近くの道を通る軽トラックの音だけが聞こえた。

翌日、東京の実家に戻ることになっていた私は、今回の帰省の際に祖父にひとつだけ聞いておきたいことがあった。自分の「死」について、どう思っているのかということだ。祖父はそれまで大きな病気をしたことはなかったし、畑仕事をする様子を見ても元気そのもの。それでも、もうすぐ九〇歳になるという現実に変わりはない。

「おじいちゃん、最近体の調子はどうなの?」

「この年になればすべて悪い」

そう言うと、彼は大声で笑った。

「今年九〇歳になるけど、そのことについてはどう思う?」

私の質問に驚いた様子もなく、穏やかな表情で答えた。

「長く生きたから、いつ死んでも悔《く》いはない。でも、ばあさんのあとがいい」

そのころ、祖母には初期の認知症の症状が出ていたので、祖父はそのことを気にかけていた。祖母の死を見送ってから逝《い》きたいというのが、彼の希望のようだった。

「おじいちゃんは、いい人生だったと思う?」

祖父は、満面の笑みを浮かべて言った。

「いい人生だった」

その顔には、長い人生をまっとうした人によく見られる、幸福とも少し違う、内面からわきでる満足感のようなものが見て取れた。私はそれを聞いてほっとした。

思えば、祖父とこのように話をしたのは初めてのことだった。というのも、昔から祖父との会話を知らず知らずのうちに避けていたからだ。

私は子どものころ、そして大人になってからも、祖父の福島弁を理解できず、会話をするのに苦労した。祖母も福島出身だったが、話し方はわかりやすかったので、遊びに行った際はなるべく彼女と話すようにしていた。祖父と話をするときは母に通訳してもらう必要があり、それ自体、子ども心に居心地が悪かったのだ。

それが不思議なことに、アメリカで生活を始め、特にホスピスで働くようになってから、祖父の言っていることが理解できるようになった。もちろんそれは、福島弁についての知識が深まったからではない。病気などのため意思の疎通《そつう》が難しくなった人たちや言語の違う人たちとかかわる機会が増えたために、相手の話を聴く能力が身についていったのだろう。

ただ、私が祖父のことについてよく知らなかったのは、祖父がとても無口で、自分の話をしない人だったことも大きい。だからこそ、このときは、初めて祖父と意味のある会話をすることができたと感じたのだ。

もっと話を聞きたい、戦時中のことについて教えてほしい。そう思った。

しかし、祖父が家に帰る準備を始めたので、この日の会話は切り上げられた、この件については、東京に戻ったら母に聞くことにしよう。何か知っているに違いない。

電動自転車で走る祖父の後ろについて、自転車で坂を上る。祖父は長年スクーターに乗っていたのだが、年齢的にも危険だと家族に説得され、最近、乗るのをやめたらしい。でも、畑に行くためには坂を上る必要があり、なんらかの手段が必要だ。それで乗りはじめたのが電動自転車だった。畑仕事だけは続けたい、あきらめたくない。祖父はいつもそう言っていたので、周りも納得したようだ。自分の意思を貫《つらぬ》く祖父のそういう性格は、私の目にはときに「頑固なおじいちゃん」として映ったが、そういう人だからこそ九〇歳近くになってもまだこうして元気で暮らしているのかもしれない、とも思った。

まるでスクーターにでも乗っているかのように、祖父は道の真ん中を走っていく。田舎道なのであまり車は通らないが、たまに後ろから来る車はスピードを落とし、ゆっくりと祖父を追い越していった。おそらくこの辺りの人はみな、祖父のことを知っているのだろう。この人は、この道を何千回、何万回と行き来してきたのだから。

いなくなった若者たち

坂を上り終わると、子どものころによくいとこたちと遊んだお寺の前を通った。ひっそりとたたずむこの小さな寺には、いつ来ても人ひとりいないが、中庭はいつもきれいに手入れされている。

私はふと、ある夏の出来事を思い出した。

一二歳くらいのころ、家族で同じように帰郷したときのことだ。その日、私はひとりでお寺の前の公園で遊んでいた。祖父母の家の周辺にはお店ひとつなく、歩いていける場所といえばこのお寺と公園しかない。しばらくひとりでシーソーに乗ったあと、つまらなくなったのでお寺の中をのぞいてみることにした。

扉を開けると、大きな畳《たたみ》部屋。目の前には小さな本尊《ほんぞん》があるが、寺というより民家の居間のような空間に見えた。中に入ると、とても静かでひんやりとしていた。誰もいないのだが、誰かに見られているような不気味さを感じた。周りを見渡すと、壁の上には白黒写真がずらっと並んでいた。どれも軍服を着た若者の写真。彼らの瞳は私のほうを無言のまま見つめていた。

私は祖父母の家で、同じようなかたちでご先祖さまの遺影《いえい》が飾られているのを見たことがあった。だから直感した。この写真の若者たちは、戦死した人たちに違いないと。中にはまだ少年の面差《おもざ》しが残った人もいる。軍人にはとても見えない農家の息子たち……。その顔ぶれを眺めていたら突然恐ろしくなり、体が急に動かなくなったように感じた。

走って家に帰り、母にその写真についてたずねると、この町から戦争に送られ、戦死した人たちの写真だと言われた。この小さな田舎町で、こんなにも多くの若者が戦死したという事実が信じられなかった。畑や田んぼしかなく、人口もとても少ない町。当時、この町に住む青年の多くが徴兵され、そのまま戻ってこなかったのだろう。

「おじいさんの二歳年下の弟も戦死したのよ」と、母は付け加えた。どこで戦死したかはわからないが、彼の死後、一番下の弟が遺された妻と再婚したという。親戚中が知っている話ではあるが、普段は誰も口にしない過去。お寺で見た写真の中には、その大叔父《おおおじ》の写真もあったのだ。

東京に帰った直後くらいから、私はこの日の光景を繰り返し夢見るようになった。それはまさに悪夢だった。写真の中の軍服を着た男性の顔が、無言で何かを訴えてくる。その間、体は金縛《かなしば》りにあったかのように動かなかった。そうなるたびに、その人に向かって「あなたは何を言いたいの?」とたずねるのだが、何も答えてくれない。まるで亡霊《ぼうれい》にとりつかれているかのように感じた。あまりに恐ろしく、両親にもこの夢の話はしなかった。

でも、いつしかその夢は見なくなり、私自身この件についてすっかり忘れていた。だからこそ、祖父の話を聞いたこの日、彼の写真もこの寺に飾られる可能性があったのだ、という事実に思い至り、衝撃を受けたのだ。

その翌日、予定どおり東京の実家に帰ると、祖父が話してくれた戦時中の経験について母に聞いてみた。でも、母はほとんど何も知らなかった。徴兵されて内地で訓練していたことや、上官に気に入られていたという話は祖父から聞いたことがあるが、それ以外のことは聞かされていないという。特に南方行きを逃れたという話については母も驚いていたが、祖父はつくり話をする人ではなかったので、実際にそういうことがあったのだろう、と言った。つまり、具体的なことはわからないままとなったのだ。

その後、アメリカに戻った私は、子ども時代にお寺で見た写真のことを少しずつ忘れたように、祖父の戦時中の話についても思い出さなくなっていった。私がこのことについて思い出し、もっと知りたいと思って調べはじめたのは、二〇一八年の冬、この本の原稿を書きはじめたころだった。でも、そのときにはもう、祖父から直接話を聞くことは叶《かな》わなくなっていた。

南方と第二師団

祖父が他界《たかい》したのは二〇一二年、九七歳のときだった。戦時中のことに限らず、彼がどういう人だったのかを知りたいと思った私は、親戚中に話を聞いてみることにした。そしてその過程で、祖父に意外な一面があったことを知った。

例えば祖父は戦後、農協《のうきょう》で理事をしたり、町の下水処理場設立の反対運動の会長を務めたりするなど、町の人々から信頼されていたようだ。家では無口だったが社交的な面があり、友だちも多かったという。特に「戦友会《せんゆうかい》」の仲間たちとはつながりがとても強く、贈り物をしあったり、集まりには必ず参加していたそうだ。しかし、例の南方行きを逃れた話に関しては、母の兄姉も知らなかった。祖父はこの話を子どもたちにはしなかったようだ。

新たにわかったことは、祖父の弟が硫黄島で戦死したという事実だった。私の大叔父にあたるその人は、祖父とうりふたつで、戦死した当時は二九歳くらいだったそうだ。硫黄島の戦いがあったのは一九四五年二月で、その数カ月前に彼の第一子が誕生している。硫黄島に送られる前に子どもと対面できたのか、今となっては知る人もいない。でも、祖父は弟の息子のことをとにかくかわいがっていたそうで、死に際に会いに来てくれたときにはたいそう喜んだらしい。

祖父母の家の隣人も戦死していたことがわかった。その遺された子どもたちが、祖父のことを「お父さん」と呼んでいたことも知った。弟や隣人が戦死し、自分は生き延びたことに関して、祖父はどのような思いを抱えていたのだろうか。それを知ることも、やはり今となっては不可能だが、二〇〇八年、私の兄が三四歳で他界したときに、祖父が口にした言葉にその手がかりがあるような気がした。

兄の死は、祖父にとって孫を失うという初めての経験だった。納骨《のうこつ》のため、母が実家に帰った際、祖父は一言、「運命だな」と言ったそうである。その話を母から聞いたとき、なんともあっけない言葉だと思った。ひとり息子を失った娘に対して、冷たいのではないかと。

しかし、祖父の人生を振り返ってみれば、その言葉に秘められた彼の人生観が見えてくるようにも思うのだ。つまり、自分が生き延びたことも、弟が戦死したことも、孫の死も、自分にはコントロールできない、運命的なものである。もしかすると、祖父はそう考えたのかもしれない。

私は、執筆《しっぴつ》のためのリサーチをする過程で、「南方」へ送られた日本兵士たちに起こったことも知った。特に祖父が戦地に送られそうになった戦争末期は、兵器や食料などが圧倒的に不足していく中で、餓死や戦病死《せんびょうし》が相次ぐ想像を絶する悲惨な状態だったようだ。

歴史家の吉田裕は『日本軍兵士』で、全戦没者の中で一九四四年以降の戦没者が占める割合は九一％に達すると推測している。また、全貌《ぜんぼう》がわかるような詳しいデータが残っていないのが残念だが、一例を挙げるなら、中国戦線を戦った支那駐屯《しなちゅうとん》歩兵第一連隊においては、戦病死者が全戦没者の中に占める割合は、一九四四年以降は七三・五％に達しており、実際にはもっと多い可能性もあるとしている。さらに、一九四四年一〇月に開始されたフィリピン防衛戦では、陸軍の戦没者の六五〜六〇％が直接戦闘ではなく病没《びょうぼつ》した可能性があるという。[2]

これらの推計から容易に想像できるように、戦争末期に南方に送られるということは、「死刑宣告」を受けるも同然で、生きて帰れる可能性などほんのわずかなものだったのだ。

しかもその死は、「戦死」よりも「餓死」や「戦病死」である確率が高かった。この時期、いかに無謀《むぼう》な作戦が展開されていたのかがわかる。

ある日の夜、私は祖父が所属していたという「仙台第二師団《しだん》」についてネットで調べてみた。[3] この師団は一九四二年にガダルカナル島の戦いで、十分な補給がないまま戦闘を強いられ、多くの戦死・戦病死者を出したそうだ。その後もフィリピン、マレー、ビルマに転進している。もし、祖父がこの辺りに送られていたとしたら、生還する確率はかなり低かったはずだ。

自分が南方に送られるかもしれないと知ったとき、祖父の頭に浮かんだことはなんだったのだろう？　あの時代に「戦地に送らないでくれ」と上官に頼むなど、どうしてそんなことができたのだろう？

生きるか、死ぬか、ただそれだけだった

その日、私は恐ろしい夢を見た。病院のベッドのようなところに寝そべっていると、若い女医がベッド際《ぎわ》に座り、話しかけてきた。そして私に、あなたは末期の病で、命が残り少ないと宣告したのだ。

突然のことで信じられなかったが、その深刻な表情からこれは真実なのだとわかった。真っ先に頭に浮かんだのは、両親の顔だった。兄がすでに亡くなっているのに、私まで死んだら大変なことになると思った。次に脳裏をよぎったのは夫のことで、私がいなくなったらこの人はどうなってしまうのだろうと心配になった。自分の死より、家族を残して逝くことへの不安と恐怖を強く感じた。

なんとかしてこの現状を変えなければいけない。そう思った。医師の話からして、ほかの治療法がないことは頭では理解できた。でも、この現状を変える方法がどこかにあるかもしれないし、あるのならばそれを探し出さなければいけない。とにかく必死の思いでそう思った。

——真夜中に目が覚めたとき、それが夢だということに気づいてからも、しばらく心臓がドキドキしていた。とても鮮明で、夢だったとは思えず、ひたすらに恐ろしかった。なぜこんな夢を見たのだろう？　頭に浮かんだのは祖父のことだった。その瞬間、ああ、そうか、と思った。これが多分、答えだったのだ。

なぜ、祖父は南方行きをなんとしてでも逃れようとしたのか。どうしてあの寡黙《かもく》な祖父が、上官にあのようなことを言えたのか。

きっと彼は、夢の中で私が抱いた感情と同じものを感じていたのだろう。「小さい子どもがいるから送らないでほしい」と祖父は言った。本当に、それがすべてだったのだ。家族のために死にたくなかった。もしも死を避ける手立てがあるのならば、なんとしてでもその方法を見いださなければならない。そう思ったのだろう。

同じ立場にいたら、私だって同じ決断をしたに違いない。夢の中で似たような状況を経験して初めて、そのことがクリアになった。祖父は、家族のために「生き延びる道」を必死に探したのだと思う。「非国民《ひこくみん》」と呼ばれ厳罰をくらうかもしれない。場合によっては理不尽な暴力だって受けたかもしれない。それでも彼は、可能性が高いほうに賭けたのだ。

もちろんこのとき、祖父の代わりに南方に送られた人がいた。これはまぎれもない現実だ。祖父の行動を批判的に見る人もいるかもしれない。「自分だけが助かればいいのか」と。しかし、自分がいざその立場になってみなければ、どのような行動をとるかなど、誰にもわからないことがある。

絶望的なほどの無策に従い、地獄のような戦場に送られ、死を覚悟せねばならないと言われたら、あなたならどうするか。実際に殺すか、殺されるかという状況になったら、あなたはそこで何をするか。この想像を絶する選択の連続こそが戦争のリアルであり、それは、もはや平時の精神状態では想像できないようなことなのだと私は思う。

生涯トラウマに苦しんだ元ＰＯＷ（戦争捕虜）の男性と結婚したキャサリンが言ったように、人生には自分がそこにたどり着くまでわからないことがある。戦争もそのひとつなのだろう。

あの戦争について、祖父が本当のところでどう感じていたのか。

今となっては聞くこともできないが、彼が最後に言ったことが、私の心に残っている。

二〇〇九年の夏、兄の法事《ほうじ》のために帰国し、福島に立ち寄った。東京に帰る日の朝、祖父は仏壇《ぶつだん》のある畳部屋に座り、いつものように「わかば」を吸っていた。数年前に会ったときはそれが最後になると思ったが、こうしてまた会うことができた。でも、今回は本当に最後になるだろうと思ったし、おそらく祖父もそう感じていたと思う。祖母が二年前に亡くなってから、祖父もだいぶ衰えていた。

「ばあさんもいなくなったし、友だちもみんな死んでしまった。だからいつ死んでもいいと思ってる。でも、寝たきりにはなりたくないから畑には毎日行ってる」

祖父は笑って言った。歩くことさえおぼつかないのに、いまだに電動自転車に乗り、畑仕事を続けているというのは、祖父らしいと思った。

そのとき、祖父が急に思いがけないことを話しはじめた。

「近所の娘さんがドイツ人と結婚したんだ。ドイツ人と聞いて驚いたが、その人はいい人らしい」

タバコを吸いながらゆっくりとした口調で言う。祖父が「結婚」の話を私にするのは初めてのことだった。

「もし、由美子《ゆみこ》がそのうち結婚したいと思う人に出会ったら、その人の国籍は関係ないんだよ」

予想外の話に、私は思わず目をまるくした。高校卒業後に渡米すると決めたとき、祖父はかなり驚いていたが、そのことについて何も言わなかった。その後も私がアメリカで暮らしていることや、将来外国人と結婚するかもしれない可能性などについて、一言も口にしたことはなかった。

「相手が何人だとか、そういうことは関係ない。大切なことはそういうことじゃない」

そう言って、祖父はにっこりと笑った。

このとき、私には結婚したい相手などいなかったし、将来的に結婚する気もなかったが、それから数年後、今の夫と出会ったとき、まっさきに思い出したのはこのときの祖父の言葉だった。彼はアメリカ人で、しかも軍人。それでもおそらく、祖父は祝福してくれるだろう。大切なのはその人の人間性だ、と言ってくれるだろう。

あの日、祖父は最後に、このことだけは私に伝えておきたかったのかもしれない。

新幹線の時間が近づいたので親戚にお別れを言い、叔母の運転する車に乗った。祖父はゆっくりと歩き、玄関《げんかん》の外まで出てきて、笑顔で手を振ってくれた。

車が道を曲がり見えなくなるまで、祖父は手を振りつづけていた。

1　『Man's Search for Meaning（夜と霧）』より著者訳。

2　全戦没者中一九四四年以降の戦没者が占める割合については同書二六頁、支那駐屯歩兵第一連隊については三〇頁、フィリピン防衛戦については三二頁を参照。

3　国立公文書館アジア歴史資料センターの「第2師団（勇）」の項を参照。

第八章

忘れられた中国人たち

権力に対する人間の闘いは、
忘却に対する記憶の闘いである。
ミラン・クンデラ[1]

二〇二〇年をもって、第二次世界大戦の終結から七五周年を迎える。「第二次世界大戦」と聞いて、あなたの脳裏に浮かぶイメージはなんだろう？　原爆ドーム、神風特攻隊《かみかぜとっこうたい》、真珠湾攻撃。もしくは、遠い島々で戦った日本軍兵士、戦争に備える女学生、戦火に巻き込まれた沖縄県民、などだろうか。

同じことをアメリカ人に聞いたら、かなり違う答えが返ってくるはずだ。ノルマンディー上陸、硫黄島の星条旗、看護師にキスする水兵、キノコ雲。これらが、アメリカ人にとっての「第二次世界大戦」におけるアイコニック（象徴的な）イメージである。[2]

ノルマンディー上陸は、日本人にとってはあまり馴染《なじ》みがないかもしれない。この作戦はヨーロッパ戦線において多くの犠牲者を出したことで有名で、戦後さまざまな映画や本などを通じて語り継がれている。上陸直前に撮影された写真は、アメリカ兵士の勇気と犠牲を象徴する一枚として、国民の心に深く刻まれている。

硫黄島の星条旗は、第一章で紹介したとおり、その背景には日本人にはもちろん、アメリカ人にとっても予想外のストーリーが隠されてはいるものの、ノルマンディー上陸の写真と似たような意味をもつ。

日本が降伏した日にニューヨークのタイムズスクエアで見知らぬ水兵と看護師が歓喜のあまりキスしている写真は、言うまでもなくアメリカ人にとって勝利の象徴である。

キノコ雲を思い浮かべるアメリカ人も多く、原爆は、長い戦争の終結と同時に、原子力時代の始まりも意味している。

いずれにしても、日本人が抱く「第二次世界大戦」のイメージとアメリカ人のそれとはかなり違いがあるように思う。原爆というイメージは共通していたとしても、その内実はやはり異なるだろう。

このようなイメージにはストーリーがつきものであり、ストーリーがあるからこそイメージは意味をもつ。例えば、日本人が原爆ドームを思い浮かべるとき、そのイメージと被爆者の物語を引き離して考えることができないように、アメリカ人にとっては、ノルマンディー上陸のイメージとその作戦の背景にある物語はセットで記憶されている。だからこそ、それは象徴的な意味をもつのだ。

こうしたイメージやストーリーは、社会における共通の記憶のようなものを形成する。歴史家や心理学者、社会科学者たちは、これを「コレクティブ・メモリー（collective memory）」とか「ソーシャル・

ノルマンディー上陸作戦／Photo by Robert F. Sargent

メモリー（social memory）」と呼ぶ。日本では「集合的記憶」と訳されることが多い。[3]

集合的記憶というのはどの社会にもあり、私たちのアイデンティティとも深く関係している。また、それはある社会を構成する人たちの絆（心理的な結束）を強める役割ももつ。八月一五日の「終戦記念日」は日本特有の儀礼《ぎれい》だが、それは単に過去を振り返るものではない。「戦没者を追悼し平和を祈念《きねん》する日」と定められたこの日、私たちは集合的記憶を呼び起こす過程において、日本人としての一体感を思い起こすのではないだろうか。

だが、集合的記憶には避けがたい問題がある。それは、その記憶が、その記憶を形成した社会においてのみ役に立つ、という点だ。つまり、別の社会で育った人と出会うとき、集合的記憶は相手との結びつきを強める役に立たない場合が多い。むしろ障壁《しょうへき》になることさえある。私はそれを、アメリカでさまざまな国籍や人種の人々と暮らす上で学んだ。

自分とは異なる記憶をもつ人たちと出会ったとき、私たちはその相手と、どのように関係性を築いていけるのだろうか？　本書の最後に考えたいのはそのようなテーマである。

リーは、私にそのヒントを与えてくれた患者さんだった。

占領下を生きた中国人

二〇〇八年の冬の午後、私はシンシナティ市内のとある老人ホームを訪れた。以前、別の患者さんを訪問するために何度も訪れたことのある場所で、高層ビルのようなつくりをしたホームだ。

エレベーターのほうに歩いていくと、ホスピスの看護助手、アリッサがいた。三〇代半ばのアフリカン・アメリカンの女性で、優しくフレンドリー。看護助手はホスピスの仕事の中で最も大変な仕事だと思う。患者さんの入浴、おむつ交換、食事介助などを担当し、忙しいだけではなく重労働。それでも、彼女はいつも笑顔を忘れず、患者さんに好かれていた。担当の患者さんにも詳しく、好きな歌や食べ物のことなど、セラピーに役立つ情報をいつも教えてくれるのだった。

今回、新規の委託を受けたのは、七〇代の末期がんの男性で、最近ホスピスケアを受けはじめた患者さん。数年前に奥さんを亡くしていて、ひとり息子は州外に住んでいるらしい。末期がんの宣告をなかなか受け入れることができず、精神的なサポートが必要という理由で音楽療法を委託された。「リー」というニックネームで呼ばれていて、苗字から中国系の人だとわかった。

「リーはとても静かで、あまりしゃべらないの。でもユミとは話すと思う。同じアジア人だからね」

アリッサは冗談っぽく言った。

「アメリカで生まれた人なのか、中国で生まれた人なのか、知ってる？」

私がたずねると、彼女は腕を組み、目を細めた。

「確かではないけど、多分、中国生まれだと思うよ」

だとすると、同じ「アジア人」だから仲良くなる、という推測はおそらく間違っている。なぜならその場合、年齢からしてリーは、日本の占領下にあったときの中国で生まれたことになるからだ。私は重い気持ちでリーの部屋に向かった。

この老人ホームの部屋はたいていダブルルームなのだが、リーの部屋はほかよりも広い個室だった。彼は静かな部屋にひとり、車椅子に座っていた。襟《えり》付きのシャツに黄色のセーターを身に着け、まるでイギリス人紳士《しんし》のような恰好。長方形の顔に黒縁《くろぶち》の眼鏡をかけていて、穏やかな表情をしていた。

私がホスピスから来た音楽療法士だと告げると、リーは折りたたみの椅子を出して座るようにと静かにジェスチャーした。音楽の好みや今日の体調について聞くと、優しく丁寧に答えてくれた。

以前、合唱団《がっしょうだん》に入っていたそうで、唄うのは好きだという。〝ブルー・ムーン〟や〝エーデルワイス〟など、同世代のアメリカ人なら誰もが知っているような曲をいくつか唄った。その間、彼もときおり口ずさんでいた。

歌が一段落したところで、生い立ちについて聞いてみた。

「中国で生まれたと聞きました」

リーが静かにうなずく。次に、中国のどこで生まれたのかをたずねた。

「フーチョウ（福州《ふくしゅう》）……」

どうやら一九四六年、一四歳のときに両親と妹とアメリカに来たそうだ。そして、そのまま中国には帰れなくなってしまったという。しかも、「政治的な理由」で。

「政治的な理由？」

「そう」

それきり、リーは黙ってしまった。「政治的な理由」がなんなのかはわからなかったが、彼にとってはつらい過去なのだと察した。

しばらくすると、リーがふたたび口を開いた。

「その後しばらくして、父が病気になって死んでしまった。父は大学の教授だったんだが……。だから、母は異国の地で僕と妹をひとりで育てたんだ」

淡々と穏やかな声で話をするが、その間、視線はまじわらない。

「若いときにお父さんを亡くすというのは、大変なことだったでしょうね」

「そうだね、でも……」

It was something I had to get through.（通り抜けなければならない道だった）

リーは少し考えたあとで、こう言ったのだった。

彼のストーリーには、始まりと終わりはあるものの、その中間がほとんど抜けていた。中国で何を経験したのか、なぜ祖国に帰ることができなかったかを知りたいと思ったが、彼はそれ以上その話をしなかった。私が日本人であることは名前から想像できたはずだが、別れ際に念のために伝えたときも、表情ひとつ変えず、静かにうなずいただけだった。

私は何を学んできたのか？

その夜、私は福州という場所について調べた。リーが生まれた福州市は、中国の南東海岸に位置する福建《ふっけん》省の省都で、台湾の向かい側にある。一九三八年から終戦まで日本軍に占領されたことはわかったが、その間に何があったのかを知る手がかりは見つからなかった。

ただ、関連情報は見つけた。同時期の中国における戦死者数だ。正確な数は定かではないが、一〇〇〇万～二〇〇〇万もの人が犠牲になったと知った。[4] 想像もつかない数だが、ナチス・ドイツに殺されたユダヤ人の数はおよそ六〇〇万人なので、それよりも多いことになる。第二次世界大戦で中国以上の死者を出した国はソ連だけだ。

さらに、英語で「Japanese occupation of China（日本の中国占領）」と検索すると、たくさんの恐ろしい写真が出てきた。階段に無造作に横たわる子どもや大人の死体、日本軍兵士に刀《かたな》で処刑《しょけい》される直前の男性、人体実験で苦しみもがいている子ども……。これらの写真はショッキングではあったが、それ以上に私が驚いたのは、このような出来事について、自分がほとんど何も「知らない」ということだった。

中学・高校の歴史の授業で、私は何を学んだのだろう?

振り返ってみれば、アジア・太平洋戦争中にアジアの国々で起こったことについて学んだ記憶はあまりない。そもそも「太平洋戦争」自体、日本対アメリカという観点で教えられたので、アジアの話そのものが少なかった。アメリカとの戦争が起こるまでの出来事を順番に学んでいく中で、中国はもちろん登場したが、固有名詞や年号の暗記が中心だった。

心理学の領域では、記憶は「意味」に左右されるものだと言われる。私たちは、人生で起こったすべての事柄を記憶することはできない。単なる固有名詞や年号の暗記がまさにそれだ。逆に、自分にとって「意味」のある出来事——感情を呼び起こすような出来事、五感を刺激した出来事など——は、長い年月が経っても忘れない傾向がある。

私の場合、広島やホロコーストのような出来事に関しては、原爆ドーム、被爆者の人々、アウシュビッツ、映画『シンドラーのリスト』など、いくつかのイメージがはっきりと浮かんだ。それは、関連するたくさんの写真や映像を見たことがあり、ニュースやドキュメンタリーなどで生存者の話を幾度《いくど》も聞いたことがあったからだ。しかし、同時代の中国やアジア諸国に関しては、具体的なイメージがひとつも浮かばない。まるで、歴史の一部分がすっぽり抜け落ちてしまっているような感覚だった。

それから数年後、私は「ソーシャル・アムニージア（social amnesia）」という言葉を知った。[6] 直訳は「社会的記憶喪失」。一九七〇年代にアメリカ人歴史家のラッセル・ジャコビーが提唱したものだ。近年では「ソーシャル・フォーゲッティング（social forgetting）」という言葉が代わりに使用されることもあり、日本語に直訳すると「社会的忘却」となる。[7] その名のとおり「集団で忘れる」ことを指すが、フォーゲッティング（忘れる）には、何かを「思い出せない」だけではなく、「意図的に無視（度外視《どがいし》）する」というニュアンスも含まれている。社会や集団にとって恥ずべき出来事や都合の悪い記憶ほど心理的な抑圧が働きやすいため、歴史学のみならず、心理学や政治学などの分野で検証されている現象なのだ。

「社会的忘却」の特徴は、グループ内で同じ事柄を忘れている（あるいは意識的・無意識的に無視する）という点である。ひとりがあることを忘れ、別の人がほかのことを忘れるのではなく、そのグループに属する「誰もが」「同じことを」忘れているのである。「記憶の穴《あな》（メモリーホール）」と表現されることもあり、それはまさに当時の私が抱いた感覚だった。

ただ、「社会的忘却」は「個人の記憶」と共存することがある。つまり、社会のほとんどの人は忘れても、ある人たちは覚えている、という場合があるのだ。そして、その個人の記憶が社会的に共有され、認識されることもあれば、抑圧され、隠されてしまうこともあるという。

日本人として、アジアの歴史に向き合う怖さ

私がこの現象に初めて気づいたのは（それが具体的に何なのかはわからなかったが）、高校生のときだった。学期始めのある日、ショートカットの女性の先生が、教室に入ってくるなり黒板に名前を書きはじめた。何か決意を固めたような表情をしながら。

それは韓国人によくある名前の漢字だった。先生が韓国人であることにも驚いたが、彼女が次に言ったことにはもっと驚いた。彼女が語ったのは、彼女たちが経験した差別の歴史だった。

彼女は日本生まれの「在日《ざいにち》韓国人（在日コリアン）」。これまでは差別を避けるために日本名を使ってきたが、最近、韓国名に変えたのだという。在日韓国・朝鮮《ちょうせん》人とは、第二次世界大戦前、日本の朝鮮支配下で強制的に連行されるなどして渡日《とにち》した人たちの子孫である。また、関東大震災後には多くの在日韓国・朝鮮人が虐殺された。そして、現在でも差別は根強くあるため、その多くが日本名を使って暮らしている――。そういうことを、端的に説明してくれた。

関東大震災後に起きたことは知っていた。しかし、いまだにその差別が根強く残っていることは知らなかったし、在日韓国人の多くが、自らのルーツを隠すために名前を変えながら生活していることなど、思いもよらないことだった。

そのとき、漠然とではあったが、私たちの知識や記憶というものは、個人が完全にコントロールできるものではなく、気づかないうちに社会からさまざまな影響を受けているのだと感じた。日本の外に出て、違う文化をもつ人たちの視点を知りたい、という気持ちが高まったのもこのころだった。

私は高校卒業後に渡米し、その後六年間、アメリカの小さな田舎町にある大学と大学院に通った。日本に住んでいた当時、自分を「アジア人だ」と感じたことは特になく、あくまで「日本人」という感覚があっただけだ。でも、一歩アジアを出れば、誰も私が日本人だとわからない。アメリカのような多民族国家に住んでいるとなおさら、アジア人同士の違いは小さく感じられた。だからこそ、ほかのアジア人やアジア系の学生たちに自然と親しみを感じた。

彼らとかかわる中で、しばしば彼らが日本の言葉を知っていたり、祖父母が日本語を話せるという話を聞いたりすることがあった。もちろん、彼らとの交流において、お互いの国の歴史についての話題が出たことはほとんどなかったが、その理由はなんとなくわかっていた。歴史だ。戦時中、日本の占領化にあったアジアの国々で、日本語の使用を強制されたという背景があったからこそ、彼らにとって日本語は身近なものとしてあったのだ。無論、誰もそんなことは言わなかったし、友人たちは日本人である私を責めるためにその話をしたわけではなかった。むしろ親しみを込めて言っていたのだろう。それでも、私にはなんとも言えない居心地の悪さがあった。

もし、ここで歴史の話になったらどうなる？　それが怖かった。過去にアジアの国々で日本軍が行なったことについて、彼らが私を責めることはないだろう。ただ、私がその過去について「知らない」という事実をどう説明したらいい？　今思えば、当時の私は無意識に、日本とアジア諸国の歴史そのものを避けていた。

だからこそ、リーと出会ったとき、とうとう向き合わなければいけないという、ある種の恐怖を感じた。セラピーにおいて最も大切なラポール（信頼関係）を築くためには、何よりもまず、相手が誰なのか、どんな人生を送ってきたのかを知らなければいけない。

しかし、私は日本人で、彼は中国人。そのことが今回のセラピーにどのような影響を与えるかは想像もできなかった。私はふたたび、インターンシップ時代にスーパーバイザーから言われた言葉を思い出していた。

「きみがここで出会う患者さんの中には、第二次世界大戦で戦った人や戦争で大切な人を失った人がいる。きみが日本人であるということで、彼らがどんな反応をするかわからない……。そのことについてどう思う？」

語られたこと、語られなかったこと

ある日、私はリーとのセッション中に中国の童謡を弾いてみることにした。世界各国の童謡を集めた本の中に、中国の童謡を見つけたのだ。日本の童謡としては〝故郷《ふるさと》〟と〝春がきた〟が紹介されていた。

アイリッシュハープで演奏するあいだ、リーはいつものように車椅子に座り、静かに耳を傾けていた。シンプルな子守唄のような曲。歌が終わると、彼は小さな声で言った。

「いい曲だね。でも聴いたことはないな……」

リーは少し残念そうな顔をした。

「中国で育った当時のことは覚えていますか？」

「ほとんど覚えてない。まだ子どもだったから」

リーは、私と目を合わせないまま即答した。彼が祖国を離れたのは一四歳のときだ。覚えていないというのは、思い出したくないからかもしれない。

「それ以来、中国に行ったことはありますか?」

「一度だけある。息子が中国で結婚したんだよ」

リーの表情が一瞬明るくなった。かと思うと、すぐにまた暗くなった。

「でも、福州には行けなかった……」

リーは部屋の隅にあるタンスのほうを見つめていた。タンスの上には、オオカバマダラの写真が飾ってある。オレンジと黒の鮮やかな羽をした蝶《ちょう》。秋になると渡り鳥のように北から南へと渡ることで知られている。リーの趣味は写真で、元気なころはよく動植物を中心に撮《と》っていたそうだ。

「また撮りたい……」

リーがぼそっとつぶやいた。

「シカゴに住んでいる息子が、今年中にシンシナティに引っ越す予定なんだ。そうすればまた一緒に生活できるし、写真も撮れるかもしれない」

息子さんの話をするとき、リーの表情は少し明るくなる。彼が家に帰りたがっていることとは以前から知っていたが、少しずつ衰えていく様子を見ていると、その夢が叶うかどうかはわからなかった。

数週間後、ふたたび老人ホームを訪れると、廊下《ろうか》で看護助手のアリッサに出くわした。リーは数日前から熱を出し、今は眠っているそうだ。でも、息子さんが休日を利用して来ていて、リビングルームにいるという。

名前はケビン。四〇代前半で、長方形の顔に太い眉毛がリーによく似ている。シカゴではコンピューター関係の仕事をしているらしい。忙しくてなかなか父親に会いに来られないことや、今年中に引っ越す予定ではあるが、仕事の関係で具体的な日程はわからないことなどを教えてくれた。父親想いで、聡明な印象を受けた。

私は、ケビンにリーの過去について聞いてみたが、彼も父親の過去についてはほとんど知らなかった。でも、だからこそ彼は、自分のルーツを知りたいという気持ちから、アメリカでなく中国で結婚式を挙げることにしたという。

ケビンが初めて中国の親戚と会い、父親の子ども時代のことを少しだけ知ったのはそのときだった。実は、リーが幼いころに一家は香港で生活していた。そのときにちょうど「香港の戦い」が起こったのだ。そしてリーの父親の妹、つまりケビンから見て大叔母にあたる人が、戦火に巻き込まれて亡くなった……。

ケビンがそのことを知るのは、もちろん初めてのことだった。しかし、それでも一度だけ、父が息子に戦争について何かを語ろうとしたことがあったという。ケビンがまだ幼いころ、リーがゾッとするような戦時中の写真を見せてきたのだ。そこには兵士や一般市民のひどい死体が写っていて、子どもにはあまりにも強烈だった。でもそれ以降、リーが戦争の話題をもちだすことは一切なかったという。

「おそらく、あまりにもつらい記憶なんだと思う。だからきっと思い出したくないんだろうな……」

忘れられた味方

「香港の戦い」――私もケビンと話すまで、この出来事の存在を知らなかった。一九四一年一二月八日（ハワイ時間で七日）、真珠湾攻撃と同日に、日本軍は当時イギリス領だった香港を攻撃した。つまり、日本はアメリカとイギリスに対して、ほぼ同時に攻撃を仕掛けたことになる。真珠湾攻撃について知らない日本人はいないと思うが、香港の戦いについて知らない人は少なくないのではないか。

二週間後にイギリス軍は降伏。被害者数は定かではないが、日本軍による虐殺やレイプが起こったことが広く報告されている。特に目を引いたのが、医師や看護師などが犠牲になった「St. Stephen's College Massacre」（直訳は「セント・スティーブン・カレッジの虐殺」）と呼ばれる事件だ。[8] ここは当時、病院として使用されていたそうだが、香港の戦いが終結し、日本軍の占領が始まったクリスマスの日に、患者、医療者、イギリス人の負傷兵などが殺されたという。この日は香港で「ブラック・クリスマス」と呼ばれている。当時まだ九歳くらいだったリーが、そこで何を見たのかは想像できないが、彼が過去を思い出したくないという理由がわかった。

そして、ケビンはこのとき、リーたちが中国に帰れなくなった理由についてのヒントもくれた。一九四九年に共産党が国民党に勝利して「中華人民共和国」が成立したのち、アメリカ政府は専門的知識をもつ中国人留学生が共産党支持にまわることを恐れ、祖国に帰さないことにしたというのだ。

ケビンはその話をリーから聞いたそうだが、この歴史上の事実は、一般的にアメリカでは知られていないことだと言った。アメリカには昔、中国人排斥法《はいせき》（Chinese Exclusion Act、一八八二年）という法律があり、中国人労働者の移住が禁止された時代があった。そのことは多くのアメリカ人が知っている。しかし、逆にアメリカにいた中国人が祖国に帰れなかったという奇妙な事実を知る人は少ない。

リーと出会ってしばらく経ってから、中国系アメリカ人作家のギッシュ・ジェンが家族について話すインタビュー記事をたまたま目にした。[9] 彼女の家族も、リーの家族と似たような運命をたどったそうだ。彼女の母親は当時アメリカに留学しており、エンジニアの父親もアメリカにいたのだが、共産党が勝利したあとに中国に帰れなくなったという。リーの両親と同じく、彼女の両親も中国に帰りたかったそうだが、アメリカに留まることを余儀なくされた。そして彼女も、たいていのアメリカ人はこの歴史的事実を知らない、と語ったのである。

第二次世界大戦中、アメリカと中国は味方だった。実は、その歴史もアメリカではあまり語られない。イギリス人歴史家のラナ・ミターは、著書『Forgotten Ally（忘れられた味方）』の中で、戦時中の中国の苦悩や連合国への貢献《こうけん》が忘れられてしまった理由は「冷戦」にあると語っている。ジョン・ダワーも著書『Embracing Defeat（敗北を抱きしめて）』の中で、GHQ（連合国軍総司令部）が日本の中国に対する戦争責任の追及を怠《おこた》った理由は、中国が戦後、共産主義国になったからだと指摘している。

東京裁判の進行しているあいだ、ＧＨＱの検閲官は、東条《とうじょう》［東條英機《とうじょうひでき》］の役割は誇張されている、「戦争責任の問題」の真の核心は中国に対する侵略にある、といった批判を抑えこんでいた。裁判終結後も、このような批判的見解の表明はひきつづきタブーとされた。（…）東条など七人が処刑された一九四八年末には、アメリカが、それに日本の支配層にいる反共支持者たちが、中国の苦しみを蔑《ないがし》ろにする理由がまた新たに生じていた。中国が「共産化」し、アメリカから見ると、アジアにおける主要な敵として日本にとって替わりつつあったからである。[10]

リーのような人たちは、日本だけではなくアメリカからも「忘れられた存在」だったのだ。晩年の穏やかな彼の姿からは、その波乱万丈《はらんばんじょう》な人生など想像できなかった。でも、彼の過去に少しだけふれた私は、なぜ彼がもう一度、福州に行きたいと切望したのか、ようやく理解できた。帰ることが許されなかったからこそ、彼の心には、祖国に対する強い想いがあったのだろう。

「満州」をめぐるイメージ

私は二〇一三年に帰国すると、青森県内にある緩和ケア病棟で働くことになった。そして二〇一八年、そこでひとりの患者さんに出会った。青森生まれで、子ども時代を満州《まんしゅう》で過ごした経験をもつ女性。父親が満鉄《まんてつ》（南満州鉄道）に勤務していたため、満州北部のハイラルで育ったという。

出会った当初は、満州の雄大な景色など、良い思い出を語っていたのだが、あるときから急に「悪夢を見る」と言うようになった。ソ連の攻撃を逃れるために戦火の中を逃げたこと、引《ひ》き揚《あ》げの途中でソ連軍が女性を連れ去ったこと……。彼女はまるで、昨日起きたことのように当時の記憶を語り出した。家族は無事、青森に帰ることができたそうだが、父親はシベリアに送られ長年帰ってこなかったという。過酷な経験だったに違いない。

しかし、彼女を人生の最期に悩ませていたのは、まったく別の記憶だった。

「日本人が満人（満州人）にしていたことを忘れることができないの。私はまだ子どもだったけど、あのころのことは、はっきりと覚えているわ。当時、日本人は満人に対してひどいことをしていたの……」

彼女の顔が一気にこわばる。

「ひどいこと、というと……？」

恐るおそるたずねると、彼女は天井を見つめた。言葉につまっているようだった。

「動物以下の扱いだった……。鞭《むち》で叩かれて下水を掘らされたり、奴隷のように扱われていたの。母は満人も家に入れて、一緒にご飯を食べたりしていたけど、それは例外だった。同じ人間なのに、なんであんな扱いをするんだろうって、子ども心に理解できなくて……。そのことが今でも思い出されて、夜眠れないときもあるの」

彼女の目にはうっすらと涙が浮かんでいた。

それは、私の知る満州国をめぐる物語とはかなり異なる内容だった。それまで、満州国と言えば満州からの「引き揚げ」をイメージしていた。悲惨な運命をたどった日本人の話しか知らなかった。子どものころも、日本人残留孤児《ざんりゆうこじ》のニュースがよくテレビで流れていた。一九四五年八月、ソ連が満州に侵略。関東軍《かんとうぐん》は退却し、民間人は残された。そして、子どもを連れて引き揚げることができなかった親と、中国で育った孤児の長い時を経ての感動的な再会……。

戦争が人々に残す傷がいかに深いかを物語るニュースは、子どもながらにもその悲惨さが理解できたため、私の記憶にも鮮明に残ったのだろう。また、この出来事は、私が教えられてきた「不運な国民」と「悪い軍指導者」というわかりやすいストーリーとも一致していた。満州国の時代、満州の人々がどんな境遇にあったかを考えたことなど一度もなかった。[11]

だからこそ、彼女の証言は貴重だと思った。これまでに、この話をほかの人にしたことがあるかと聞くと、「あまりない」と答えた。若い世代の人に伝えるのはどうかと提案すると、彼女は言った。

「今の若い人は、こういう話を聞きたがらないわ」

そんなことはない、と思うのと同時に、彼女は正しいのかもしれない、とも思った。彼女の経験と記憶は、日本社会が語り継いできた物語、すなわち「集合的記憶」と一致しないからである。

私たちはなぜ「忘れる」のか？

集合的記憶とその忘却は、日本社会特有の現象ではなく、世界共通だ。例えば、アメリカ人に自国の歴史について聞いた場合、多くはコロンブス上陸やファウンディング・ファザーズ（アメリカの独立に大きく寄与《きよ》した政治的指導者）について語るだろう。

でも、アメリカ大陸には、その前からネイティブ・アメリカン（先住民族）が住んでいた。その歴史的事実を知らない人はいないが、注目されることも少ない。

ヨーロッパ系アメリカ人にとって、自分たちの祖先がネイティブ・アメリカンから土地を奪い、ときには虐殺したという歴史は、あまり考えたくないことなのだろう。だからこそ、意図的（もしくは無意識）にその事実を忘れ、無視することは、彼らの自己肯定感につながる。

しかし、それは当然ながら、ネイティブ・アメリカンにとって侮辱《ぶじょく》的なことである。近年、多くの州で「Columbus Day（コロンブス・デー）」の代わりに「Indigenous People's Day（先住民の日）」を祝うようになったのはそのためだ。ただ、このような変化が起きるまでには数百年もの時間がかかった。

私は本章の最初に、集合的記憶は私たちのアイデンティティと深くかかわっている、と書いた。そうであるならば、みんなが共有する（あるいは共有したい）記憶を批判すれば、周りから反感を買う可能性は高くなる。「非国民」扱いされたり、「嘘つき」と非難され、無視されたりすることだってある。青森で出会った女性も、そういうことを恐れたのかもしれない。このような理由から、集合的記憶に当てはまらない記憶には、ますますアクセスしにくくなる。忘れられていく。

今日《こんにち》、私たちは社会的忘却の影響力を目の当たりにしている。そのひとつが、ヒストリカル・リヴィジョニズム（歴史修正主義）の台頭《たいとう》だ。近年、日本国内で出版されている歴史本やネット上の情報の多くが、リヴィジョニストによって書かれているというのは気がかりな風潮だ。しかも、私たちが「あったこと」を忘れているのだとしたら、そこに事実と異なる過去を植えつけることは、想像以上に容易なことに思われる。

ドイツをはじめとするヨーロッパの国々では、ホロコーストを否定することは「違法」とされている。数年前、八九歳のドイツ人女性がホロコーストを否定して有罪となり、刑務所に送られたことがニュースになった。[12] 二〇一九年の暮れには、アンゲラ・メルケル首相がアウシュビッツを訪れた。彼女はそこで、ドイツ国内で反ユダヤ主義が高まっていることを認め、だからこそ「歴史を共有しなければいけない」と語った。社会的忘却の特質やその危険性を理解した上で、国として対応しようとしているのだろう。

社会的忘却は、日本と隣国との関係にも大きな影響を与えている。近年、特に中国や韓国との関係が悪化している理由には、言うまでもなく「歴史」をめぐる問題がある。中国人や韓国人の多くは、戦時中の日本の行為に対して今でも怒っている。一方、日本には、すでに謝罪して賠償金《ばいしょうきん》も払ったのに、まだ責められているという現実に怒っている人がいる。戦後七五年も経つのに、なぜいまだに責任を問われるのだろうか？　と。だがこれも、私たちが自分たちの知らない、あるいは忘れてしまった出来事について非難されつづけているのだとすれば、その理由がわからないのも不思議ではない。

二〇一六年にオバマ大統領（当時）が広島を訪問した際、日本国民から予想以上の支持を受けた。現職のアメリカ大統領が広島を訪問したのは初めてだったこともあるだろうが、オバマ氏の訪問が受け入れられた理由は、彼のその姿勢と言葉から、「アメリカ人は広島を忘れていない」ということが伝わったからではないか。スピーチで、オバマ氏は言った。[13]

いつか、証言する被爆者の声が聞けなくなる日がくるでしょう。しかし、一九四五年八月六日の朝の記憶を決して薄れさせてはいけません。その記憶は、私たちが自己満足と戦うことを可能にするのです。それは道徳的な想像力の糧《かて》となり、私たちを変わらせてくれるのです。

オバマ氏が語ったことは、近年、アメリカで見られる原爆投下に対する意識の変化にも表れている。原爆投下を正当化できると答えたアメリカ人は、一九四五年には八五％に及んだが、一九九一年には六三％に減少した。二〇一五年には五六％となり、三四％が正当化できないと答えている。この変化は世代間のずれを反映していて、六五歳以上では一〇人に七人が正当化できると答えたのに対し、一八歳～二九歳では四七％だった。過去の戦争への認識は時代によって変化しうることが、この調査からもわかる。[14]

オバマ氏のスピーチで、もうひとつ興味深い箇所があった。

国家は、犠牲と協力において人々を団結させるストーリーを語り、優れた功績を可能にしてきました。しかし、その同じストーリーが、自分とは違う人々を抑圧し、非人間化するためにも頻繁に利用されてきたのです。

彼が指す「人々を団結させるストーリー」とは、まさに「集合的記憶」のことだろう。それは社会においてプラスに働くこともあるが、同時に、国籍・人種・宗教などが違う人々と自分たちとの分断に利用されることもあるのだ。

記憶が未来につながるとき

リーとの出会いから六カ月ほど経ったころ、彼の体重はずいぶん減り、体力も衰えてきていた。彼は末期がんである現状と向き合えず、死が近いという現実も受け入れられずにいるのではないか。ホスピススタッフたちはそのことを気にかけていた。だからこそ、精神的サポートとして音楽療法士である私のもとに依頼がきたのだ。

しかし、私にはリーの心境がまったくわからずにいた。セッション中、彼はつねに穏やかな様子ではあったが、自分の気持ちを表現することがほとんどなかったからだ。「家に帰りたい」――彼が口にすることといえばそればかりだったが、それも日に日に難しくなっていた。

リーが過去について語ることもほとんどなかった。私が日本人であることを、どう感じているのかもわからなかった。でも、おそらく彼の脳裏には、過去の記憶がよみがえっていたはずだ。死に直面した人は、自分の人生と向き合うことを避けられないのだから。

お互いの祖国のあいだで起こった出来事は、いつもふたりの足元に横たわっていて、だからこそ、言葉にできない緊張感がつねにあった。彼とラポールを築けているとは、とうてい思えなかった。

でも、そんなある日、リーが思いがけないことを言ったのだ。

「このホームのスタッフは、僕のことを『リー』と呼ぶけど、本当は苗字で呼ばれたほうがいいよね。きみはアジア人だからわかるでしょう?」

私はハッとした。私たちが「アジア人」であるということを彼が口にしたのは、初めてのことだったからだ。平静を保ちつつ、言う。

「そうですね。じゃあ、これからは苗字で呼びましょうか?」

すると、リーは大笑いした。

「きみは、リーと呼んでくれていいんだよ」

ささいな、本当にささいなやりとりではあったが、彼の心のドアがかすかに開いた感覚があった。この機会を逃がしてはならない。そう思った私は、以前から気になっていた、壁にかかる中国語のカレンダーについて聞いてみた。

「僕は昔から漢字が好きでね。息子がプレゼントしてくれたんだ。でも、長年、漢字は使ってないから、ずいぶん忘れてしまったな」

漢字は使わないと忘れる。そのことは、私もアメリカに来てから実感していたので共感できた。漢字で自分の名前を紙に書き、リーに見せてみる。すると彼は微笑み、漢字で自分の名前を書いて見せてくれた。

今日は日本の歌を唄いましょうか、と聞いてみた。彼とのセッション中に日本の歌を唄ったことはなかったが、何かのきっかけになるかもしれないと思った。

リーがうなずいたので、〝故郷《ふるさと》〟[15]を唄うことにした。歌の意味を説明してから、ギターの伴奏で唄う。そのあいだ、リーは車椅子に背中をあずけ、目を閉じて聴いていた。

兎《うさぎ》追いしかの山
小鮒《こぶな》釣りしかの川
夢は今もめぐりて
忘れがたき故郷《ふるさと》

唄い終えると、リーがかすかに笑った。

「いい歌だね」

今なら、聞きたかったことを聞けると思った。

「ホスピスの患者さんになってから六カ月が経ちますね。そのことについて、どう感じますか？」

リーは宙《ちゅう》を目つめ、しばらく考えているようだった。

そして口を開くと、

It's something I have to get through.

通り抜けなければいけない道だ、と言った。

「それは昔、お父さんが亡くなったときに感じたことと同じことですね」

「そのとおり」

リーは私のほうを見て、声を上げて笑った。彼がこんなにも屈託《くったく》のない笑顔を見せたのは、初めてのことだった。

リーは自分の現状を理解しているのだと思った。死期が近づいていることについて、どう感じているのかはわからなかったが、彼なりにその現実と向き合い、乗り越えていっているのだと感じた。

何より、私にとって大事だったのは、彼がその想いを共有してくれたことだった。私たちのあいだには、ささやかながらもラポールが育まれていたのだ。それがわかり、私はようやく安心した。

「リーはとても静かで、あまりしゃべらないの。でもユミとは話すと思う。同じアジア人だからね」

アリッサが言ったことは、正しかったのかもしれない。私とリーは、「アジア人」として、互いに共通の文化を通じて歩み寄ることができた。

でもそれは、リーがそのきっかけをくれたからだった。彼は、私たちを隔《へだ》てるものではなく、つなぐものを見つけてくれたのだ。

このあとすぐ、私は兄を亡くし、日本に一時帰国した[16]。そのあいだにリーは、自らの希望どおり自宅に戻れたそうだ。

彼が息を引き取ったのは、およそ二カ月後のことだった。

1 『The Book of Laughter and Forgetting（笑いと忘却の書）』より著者訳。

2　例えばヒストリーチャンネルには、"The Pictures that Defined World War II" というトピックがあり、第二次世界大戦に関する象徴的な写真の数々が「アメリカ人の視点」から挙げられている。

3　「集合的記憶」の提唱者は、フランスの社会学者で哲学者のモーリス・アルヴァックスといわれている。日本では一九八九年に、小関藤一郎《こせきとういちろう》訳『集合的記憶』が出版されている。

4　中国における戦死者数について、アメリカ人歴史家のジョン・ダワーは、『War Without Mercy（容赦なき戦争）』で一〇〇〇万人、イギリス人歴史家のラナ・ミターは、『Forgotten Ally（忘れられた味方）』で一四〇〇万人と推測した。The National WW II Museum では二〇〇〇万人とされている（"Research Starters: Worldwide Deaths in World War II"）。

5　日本人の戦争観の変容を考える上で、吉田裕『日本人の戦争観』は参考になる。同書の第二章において吉田は、「太平洋戦争」というアメリカ側の呼称について、「戦域を太平洋に限定している点で、中国戦線の持つ意味を全く無視している」と指摘している。この点については補遺（「あの戦争をどう名づけるか」）で詳しく論じているので参照されたい。

6　ソーシャル・アムニージア（social amnesia）は、collective amnesia や historical amnesia とも呼ばれる。例えば、ジョン・ダワーは著書『Embracing Defeat（敗北を抱きしめて）』の中で historical amnesia という呼称を使用している。

7　ソーシャル・フォーゲッティング（social forgetting）の提唱者は、イスラエル人歴史家のガイ・ベイナー（Guy Beiner）と言われている。collective forgetting と呼ばれることもある。なお、本文中の「社会的忘却」に関する議論については、Hirst, William & Yamashiro, Jeremy. (2018). "Social Aspects of Forgetting" を参考にした。

8 この事件については、同大学の公式サイト（Heritage Gallery）でも紹介されている。

9 "Gish Jen: Author"（BillMoyers.com）を参照。

10 『増補版　敗北を抱きしめて（下）』三二一～三二二頁。三浦陽一《みうらよういち》・高杉忠明《たかすぎただあき》・田代泰子《たしろやすこ》ら訳。角括弧内は著者による補足。

11 満州における強制労働に関しては、波多野澄雄《はたのすみお》の論文「日本における日中戦争史研究について」に近年の研究動向がまとまっている（特に一二節）。

12 この女性については"'Nazi grandma' who 'went on the run to avoid jail' for Holocaust denial has been caught in Germany"（The Independent）を参照。

13 オバマ氏のスピーチは原文をもとに著者訳。

14 ピュー研究所（Pew Research Center）による原爆に関する意識調査を参照（"70 years after Hiroshima, opinions have shifted on use of atomic bomb"）。この調査結果を政党別で見ると、共和党員の七四％、民主党員の五二％が「正当化できる」と回答している。こうした政党による違いはあるものの、ここには近年共和党を支持する若者が減っており、ミレニアル世代の五九％が民主党として登録しているという背景があるのだろう（"Democratic advantage among Millennial voters grows"）。

15 作詞＝高野《たかの》辰之《たつゆき》、作曲＝岡野《おかの》貞一《ていいち》。

16 兄については第六章で書いた。リーはここで登場するキャサリンと同時期に出会った患者さんだ。老人ホームも近かったため、同日に訪問したこともしばしばあった。ふたりとも戦争経験者で聡明、しかしなかなか心を開いてくれないなど、共通点は多かった。にもかかわらず、私の中ではまったく違う時期に出会った人という感覚がある。おそらく、私自身がふたりに抱いていた気持ちや出会い方がかなり異なったことが原因だろう。しかし、大切なことを教わったという点はどちらも変わらない。

エピローグ

その記憶は、私たちが自己満足と戦うことを可能にする

振り返ってみれば、この本では、日本で生まれ育った私が抱いてきた「集合的記憶」とはかなり異なる記憶をもった人たちのストーリーを紹介してきた。

日本兵を殺したことを、日本人の私に告白した退役軍人。
フィリピンで日本兵に親友を殺され、その後、広島で焼け野原を見た男性。
罪悪感に悩まされつづけた原爆開発の関係者。
ドイツ系アメリカ人として、「自由」のためにナチスと戦った兵士。
PTSDに悩まされた退役軍人と結婚した女性。
ホロコーストの記憶に悩まされつづけた三人の患者。

そして、日本占領下の中国で生まれ、日本からもアメリカからも忘れられた人……。

私は、彼らとのかかわりを通じて、まず人間のもつ精神のリジリエンシー（回復力）に驚いた。そして、相手を理解しようとする過程で生まれるエンパシー（共感）の大切さについても学んだ。何より、「第二次世界大戦」についてまったく異なる視点から考える機会を得た。この本を執筆しようと思ったのは、日本の読者にも、日本の外からの視点で、あの戦争を見つめ直してみてほしいと思ったからだ。

日本は、先の戦争で多くの犠牲者を出し、その悲惨さを語るストーリーは尽きない。無謀な戦闘で戦死、餓死、戦病死した兵士たち。空襲や原爆の犠牲者。沖縄やサイパンで戦争に巻き込まれた一般市民。満州や樺太《からふと》からの引き揚げ者。これらのストーリーは、繰り返し語られることで私たちの「集合的記憶」となっていった。

それを忘れないことは、もちろん大切なことだ。しかし、戦争終結から七五年経った今、いや、そうでなかったとしても、それ以外の人がもつ記憶に耳を傾け、視野を広げる必要があるだろう。国籍も置かれた境遇《きょうぐう》もまったく異なる人たちがもつ記憶をたどることは、自分たちの過去を知ることはもちろん、それをよりよい未来につなげていくことにもつながるはずだ。

そのためにも、私たちは、ときに「忘れられた記憶」を発掘《はっくつ》し、保存していかなければならないし、「向き合いたくない記憶」と向き合い、語り継がなければならない。そして、それこそが大切なのだと、もうここにはいない彼らが言っている気がするのである。

私は、オバマ氏のスピーチをふたたび思い出す。

その記憶は、私たちが自己満足と戦うことを可能にするのです。それは道徳的な想像力の糧となり、私たちを変わらせてくれるのです。

補遺

最後に、本書を書くにあたって気づいたことや考えたことをまとめておきたい。異なる文化や記憶、あるいは本編の内容をより深く理解するために参照してもらえたら幸いだ。

あの戦争をどう名づけるか

本書では「太平洋戦争（Pacific War/Pacific Theater）」と「欧州戦域（European Theater）」を分けて取り上げたが、これは言うまでもなく、アメリカの視点から見た「第二次世界大戦」の呼称である。

ワシントンD.C.のナショナルモールにある「World War II Memorial（第二次世界大戦記念碑）」に立ち寄った際、この戦争は、アメリカからすれば確かに「世界大戦」だったのだと感じた。この記念碑は、五六の柱と、広場の両側を取り巻く半円形のアーチから構成されている。柱は各州で犠牲になった人たちを追悼するためのもので、アーチにはそれぞれ「Pacific（太平洋）」と「Atlantic（大西洋）」と刻まれている。中心には大洋を彷彿《ほうふつ》とさせる巨大な噴水がある。

結果的にアメリカはこの戦争に勝利した。

とはいえ、当時ふたつの前線で（しかも世界の反対側で同時に）戦うというのは、途方もないスケールだったはずだ。国民の負担も大きかっただろう。

アメリカではこれまで、欧州戦域のほうが比較的よく語られてきた。第二次世界大戦を扱った映画でも、圧倒的に欧州戦域を題材にしたものが多い。その理由は、太平洋戦争よりも「輝かしい（glorious）」からだろう。太平洋の島々での日本との戦いは、人種差別の感情はもちろん、恐怖感なども強く、ナチス・ドイツとの戦いとは性質がかなり異なっていた。実際の戦闘を見てもそうだ。例えば、太平洋戦争では亜熱帯《あねったい》地域での日本兵との接近戦が主だった。それはすさまじい戦いであっ

第二次世界大戦記念碑（World War II Memorial）／著者撮影

たし、アメリカ兵も慣れない南国の島で病死したりした（太平洋戦争で戦病死したアメリカ兵の数は、戦死者数と同じくらいともそれ以上とも言われている）[1]。こうしたことからも、一般的に太平洋戦争は欧州戦域に比べて、「地獄のような（hellish）」イメージがあるのだと思う。

アメリカ人が第二次世界大戦を「太平洋戦争（Pacific War/Pacific Theater）」と「欧州戦域（European Theater）」とに分けて呼ぶのには、このような歴史的背景やイメージが少なからず影響しているのだろう。

一方、日本では大戦中、「大東亜《だいとうあ》戦争」という呼称が使われた。敗戦後はGHQの検閲政策によって禁じられ、「太平洋戦争」と呼ばなければいけなくなった。こうした変更が、戦後の日本人の第二次世界大戦に対する視点（そして記憶の仕方）に大きな影響を及ぼしたことについて、ジョン・ダワーはこのように語っている（『増補版　敗北を抱きしめて（下）』一九八頁）。

「大東亜戦争」は、そこに侵略的排外性はあるものの、あの戦争の中心を中国と東南アジアにはっきりと据《す》えていた。ところが新しい名称は、戦争の重心をあきらかに太平洋に移し、日本とアメリカ合衆国とのあいだの紛争を第一義的にした。（…）このような不得要《ふとくよう》領《りょう》な呼称変更は、日本人に戦争の罪を自覚させるどころか、自分たちがアジアの隣人たちに何をしたかを忘れさせるだけであった。

このような問題意識からか、歴史学者の吉田裕は『日本人の戦争観』の中で「太平洋戦争」という呼称を使用せずに、満州事変以降の一連の戦争を「一五年戦争」とし、それを構成する戦争を「満州事変」、「日中戦争」、「アジア・太平洋戦争」と呼ぶことにしている。「太平洋戦争」という呼称を使うことは、戦域を太平洋に限定することにつながり、中国戦線のもつ意味を無視することになるからだ（同書三五頁）。

ちなみに、中国では一九三七年から一九四五年の日中戦争を指して「抗日《こうにち》戦争」という呼び名が採用されている。このように、特定の「戦争」をどのように名づけるかという問題には、その国の記憶やイメージが反映されているといえるだろう。

1　"WWII Military Health in the Pacific"（AAPC knowledge Center）を参照。

謝罪と責任――日米における観念の違い

高校時代に何かの本を読んだとき、「アメリカでは簡単に謝ってはいけない」ということが書いてあった。例えば、交通事故に遭《あ》った場合など、日本の感覚で反射的に謝ってしまうと、「責任」を問われる可能性があるので気をつけなければいけない、と。

実際、アメリカ人は簡単に謝らない。謝れば物事がもっとスムーズに進むのに、と思うときもあるが、そもそもアメリカ人にとっての「謝罪」は、日本人にとってのそれとは異なるものなのだとアメリカで生活する中で気づいた。

波風を立てないために、一応、謝っておく。本音ではないけど、建前として謝っておく。こういうことが、日本社会では通用する。しかし、少なくともアメリカ人の目には、このような行為は「ごまかしている（deceptive）」ように映るだろう。

「謝罪」についての観念は、国家としてのスタンスにも反映されている。というのも、アメリカが国家として正式な謝罪（formal apology）をした回数は歴史上五回しかないからだ。[2]

1. 戦争犯罪のために指名手配されたナチス将校《しょうこう》（クラウス・バルビー）の保護
2. 第二次世界大戦中の日本人の強制収容

3. ハワイ王国の打倒
4. タスキーギ実験
5. 奴隷制度とジム・クロウの法律に対する謝罪

政治学者の前嶋和弘《まえしまかずひろ》氏が「アメリカから見た〝終戦の日〟」(iRONNA)という記事の中で、「第二次世界大戦で日本は十分謝罪をしたか」という質問に対するアメリカ人の回答を「非常に興味深い」として紹介していた。

ここで前嶋氏が言及しているのは、二〇一五年にピュー研究所で行なわれた世論調査だ。[3] この調査によれば、一九三〇年〜一九四〇年代に行なった軍事行為に対して日本は「十分に謝罪したか」という問いについて、日本側の四八%が「十分に謝罪した」としているのに対し、アメリカ側は三七%にとどまり、二九%が「十分謝罪していない」と答えたという(日本人は二八%)。その一方で、「謝罪そのものが不必要」と答えたアメリカ人は二四%だった(日本人は一五%)。つまり、謝罪は済んでいる、あるいは謝罪は不要と考えているアメリカ人と日本人の数の合計は、数字上ほとんど変わらない。だがこの結果も、両国の「謝罪」に対する観念の違いを念頭に置いた場合、意味合いが変わってくるのではないか。

言葉に対する観念はある文化の中で育まれるものなので、直訳しただけでは本来の意味が伝わらないことが多々ある。本編の執筆にあたっては、「責任」という言葉にも似たような困難を感じた。英語で「責任」を表す言葉には、「fault（フォルト）」や「responsibility（レスポンシビリティ）」がある。どちらも、「AがBを引き起こした（AはBの責任である）」という因果関係《いんが》（cause and effect relationship）が明確なときに使われるものだ。

これを踏まえると、アメリカ人にとって「謝罪」するということは、自らに非があったということを明確に認めた上で、その「責任を取る」ことを意味するのだろう。例えば、「It's your fault.」と言った場合、「あなたの責任である」という意味になり、その人が「すべての責任を負う」というニュアンスになる。逆に、「It's not your fault.」と言った場合、「あなたが責任者ではない」というニュアンスになるため、より日本語らしく言うなら「あなただけの責任ではない」という意味に近くなる。さらに、「Aに関与したために起こる責任」という意味では、「play a part」という言い方をする。[4]

これらのことから、第三章で紹介したサムとヘンリーの場合、原爆投下や枯葉剤の散布は彼らの「fault」ではなく、出来事への関与、つまり「play a part」だったわけだが、本人たちはそれをまるで自分の「fault」のように感じ、自責《じせき》の念《ねん》に駆られていたことが、私にとっては印象深かったわけである。

「謝罪」も「責任」も因果関係を認めた上で成立するものなので、アメリカ社会においては、因果関係と「link（リンク、単なる関係性）」との違いを明確にすることが重要視される。逆に日本では、このふたつの観念が曖昧に使われる場面をよく目にする。例えば「認知症予防のための音楽療法」とか「がんを消す食事」などというフレーズだ。音楽療法で認知症を予防できるとか、食事でがんが消える、という因果関係を確立するエビデンス（科学的根拠）はないので、極めて「misleading（誤解を招く）」と言える。もちろん、こうした証明不可能な因果関係がほのめかされるのは、それらがまったくの無関係ではなく、そこに「なんらかのリンク」があるかもしれないからだろう。だからこそ因果関係の有無を調べる必要がある。

さらに、因果関係を曖昧にしたままだと「本音と建前」的な構図が生まれやすい。これを英語では「two-faced（ふたつの顔をもつ）」と表現する。[5] 日本語では必ずしも悪い意味ではないが、英語では「誠実ではない」という意味になる。日本の政治、外交、歴史観が、他国の人から見てとても曖昧で不透明に映る要因のひとつとして、こうしたスタンスがあげられるのではないか。

さらに、因果関係が曖昧であっても「責任」や「謝罪」が成立してしまう社会では、それが理不尽に押しつけられるケースも出てくる。特に、困っていたり支えが必要だったりする人たちがターゲットとされやすい。例えば、レイプや痴漢《ちかん》の被害者に対して「被害者にも責任があった」というように。イスラム国の人質《ひとじち》となった人を「自己責任」のもと断罪し、「謝罪」を求めるように……。[6]

「責任」や「謝罪」は、それを認める（あるいは要求する）前に、物事の因果関係を徹底的に調査し、内省することが必要だ。それが真の意味での理解や和解につながるのではないかと思う。

2 "Five Times the United States Officially Apologized" (Smithsonian Magazine) を参照。

3 前嶋氏が言及している世論調査については"Americans, Japanese: Mutual Respect 70 Years After the End of WWII" (Pew Research Center) を参照。

4 責任を表す語彙《ごい》としてはほかに「complicity」があり、日本語では「共犯《きょうはん》」という意になる。これは「戦争責任」をめぐるトピック、例えば天皇《てんのう》のそれや慰安婦《いあんふ》問題に関して使われることがある。responsibility にはダイレクトな因果関係があるが、complicity にはそこまで明確なニュアンスはない。またこの語には、自分になんらかの利益があるから、悪いと知りながらも加担するという、いわば無言の共犯関係を示すニュアンスが含まれるときがある。もちろんこれはどの社会にも見られる現象だが、日本の場合は特に自分の意見を言えない空気（社会的圧力）が強いため「無言の加担者」はとても多く、それが悪いこととして捉えられない風潮もあるだろう。これも戦後の被害者意識の形成につながったのではないか。ちなみに、ここでは責任のネガティブな側面を取り上げたが、例えば「play a part」は良いことに貢献する場合も使用される（感染症の拡大を抑えるために「ひとりひとりが自分のやれることをやる＝役割を果たす」というときには、「everyone has to play a part」という表現になる）。これはあくまで「関係性」を表すだけで、それ自体に「良い／悪い」の判断は含まれないのだ。責任に関する語彙を見ていくだけでも、アメリカと日本の責任観の違いの大きさがわかるだろう。

5　戦後日本の謝罪については、吉田裕氏の『日本人の戦争観』に詳しい。吉田氏は同書で「ダブルスタンダード（double standard）」という表現を使ったが、この言葉は本来、あるルールが不公平に用いられることを指す。むしろ「本音と建前」として捉えることができるのではないか。

6　因果関係が明確でない「謝罪」は、スティグマ（ネガティブなレッテル貼り）につながることもある。例えば、新型コロナウイルスに感染した有名人が謝罪する（させられる）ことにより、「感染者は無責任」「感染したのは自己責任」という非論理的な構図が社会的に構成されてしまう。当然のことながら、無責任だから感染する、注意していれば感染しない、というような因果関係はない。

アイデンティティと国籍——なんのために戦ったのか

歴史家の加藤陽子《かとうようこ》氏は『戦争まで』の中で、アメリカは自分たちの憲法原理を守るために第二次世界大戦を戦ったと書いている（同書三五六頁）。

アメリカは、議会制民主主義や自由主義経済という自らの憲法原理を守るため、まずは、ドイツのナチズムを打倒しなければならないと考える。

しかし、この加藤氏の分析は、あくまでアメリカという「国」（当時の政府）を見ているだけであり、「国民」の心理的な部分にはふれていないのではないか。

一九三八年に、九四％のアメリカ人がナチス・ドイツによるユダヤ人の扱いを「非難する(Disapprove)」と答えた。にもかかわらず、一九四〇年五月の時点では、九三％が「参戦したくない(No)」と答えている。[7] こうした世論調査からしても、少なくとも当時のアメリカ国民は、加藤氏の言う「戦争する（＝相手国の憲法原理を攻撃する）」という心情にはなっていなかったことがわかるだろう。

しかし、いったん戦争になってしまえば、「自分たちがなんのために戦っているのか」という理由が国民たちにも必要になってくる。このときに浮上してくるのが「アイデンティティ」の問題だ。例えば、国家はプロパガンダを用いて愛国心を高めようとするわけだが、愛国心とアイデンティティは深くかかわっている。当時の国民の意識について理解するためには、国の政策だけではなく、アイデンティティの違いについても知る必要があるだろう。これはアメリカでも日本でも変わりない。

一例をあげよう。日本には、「日本人の血が流れている」という言い方がある。日本人と外国人の間に生まれた子どもが「ハーフ(half)」と呼ばれるのは、言うまでもなく、日本人の「血」が半分しか流れていないからだ。戦後には「混血《こんけつ》」という言い方もされていた。英語では、「mixed-race」とか「multiracial」と言われるが、これは少なくとも今日《こんにち》のアメリカでは差別的な意味はなく、「いろいろ混ざっている」くらいの意味合いだ。混血は「addition（加算）」だが、ハーフは「subtraction（減算）」というニュアンスを帯びている。ちなみに英語では、人のことを指して「ハーフ」と呼ぶことはない。

「日本人」とは何か（誰か）、という問いに対してはさまざまな意見があるだろうが、日本の場合、「日本人」であるためには「日本人の血が流れている」ことが必要という発想が少なからずあるのだろう。しかし、多民族国家であるアメリカにはこのような感覚はない。アメリカ人にはさまざまなバックグラウンドやヘリテージ（文化や伝統など人が生まれながらにしてもつもの）があるので、お互いに共通しているものはとても少ないのだ。

では、アメリカ人のアイデンティティにおいて重要なのは何か。それが第四章で述べた「American Ideals（アメリカの理想）」であり、「人民は平等である」という観念である。この理想はあくまでも「目標」であり、完全に現実化されたものではないが、私たちはそれに向かって進んでいる過程にある、というのがアメリカ人独特のアイデンティティだと思う。

例えばオバマ前大統領は、さまざまなスピーチにおいてこのアメリカ人の価値観について語り、共感を集めた。[8]

私たちをアメリカ人にするのは、どのような外見か、苗字がどこから来たのか、どのように祈るか、ということではない。私たちをアメリカ人にするのは、私たち全員が平等に創《つく》られているという一連の理想への忠実さである。

このように考えたとき、ドイツや日本のファシズムとの戦いであった第二次世界大戦は、国民感情としても、彼らが最も大切にしているもの、つまりアメリカが掲げる理想やアメリカ人として共有している価値観を懸けた戦いだったことがわかるだろう。またそれは、ドイツ系アメリカ人や日系アメリカ人が、母国であるドイツや日本と戦う際のモチベーションとなったことも想像できるはずだ。[9]

アイデンティティだけではなく、「国籍」に対する考え方も国によって異なる。この本で紹介する患者さんは、ひとりの日本人を除けばすべて「アメリカ人」だ。ドイツや中国で生まれ育ち、その後、アメリカに移住した人たちも含む。

日本の場合、両親が外国人の場合は、日本生まれでも「日本国籍」をもつことができない。また、日本に移住したのちに日本国籍を取得しても、「外国人」として扱われる場合がある。アメリカの場合は、アメリカで生まれた人やアメリカ国籍を取得した人は、自動的に「アメリカ人」として認識される。

アメリカ人と日本人のアイデンティティや国籍の認識に関する大きな違いを知ることは、太平洋戦争（あるいは第二次世界大戦）を理解する上で欠かせないことだと思う。

7 "Americans And The Holocaust"（United States Holocaust Memorial Museum）を参照。

8 二〇一七年九月五日付（現地時間）、オバマ前大統領のフェイスブックの投稿より抜粋《ばっすい》して著者訳。

9 あとがきにも記すが、アフリカン・アメリカン、ジャパニーズ・アメリカン（日系アメリカ人）、ネイティブ・アメリカンなどは、戦時中さまざまな活躍をしたことでも知られる。一九四〇年以前は米軍のために飛ぶことを禁止されていたアフリカン・アメリカンは、第二次世界大戦中はタスキーギ・エアメンとして活躍した（「Tuskegee Airmen History」Tuskegee Airmen Inc.）。日系アメリカ人の第一〇〇歩兵隊はヨーロッパ戦線に投入され、多くの死傷者を出したが、その活躍は勇敢《ゆうかん》であったとたたえられ、多くの勲章《くんしょう》を与えられた。さらに、日系アメリカ人の兵士たちは、太平洋戦争においては捕虜の尋問《じんもん》や収集物の翻訳、また日本軍の通信傍受《ぼうじゅ》などの任務に就いたことでも知られる（「日本人部隊『442連隊』の活躍」Lighthouse ロサンゼルス版）。ネイティブ・アメリカンではナバホ族のコードトーカーが有名だ。彼らは、ナバホ語という非常に複雑で知る人も少ない部族語をもとに新たなコード（暗号）をつくりだし、アメリカ軍に機密《きみつ》保持に役立つコミュニケーションを提供した。コードトーカーは太平洋戦争において大きな影響を与えたが、彼らの活動に関する情報は一九六八年まで機密扱いとされていたため、その功績が知れわたるまでに長い月日がかかった（チェスター・ネス『Code Talker』、「Code Talking」The National Museum Of The American Indian）。

英語に訳せない「歴史認識」という言葉

「歴史認識」とは何か。日本では頻繁に使用される言葉だが、その意味は曖昧である。[10]「認識」は「認め知ること。物事をはっきり知り、その意義を正しく理解・弁別《べんべつ》すること」とされるが、そもそもこの言葉自体に、知る(know)、理解する(understand)、正しく判断する(judge)、認める(acknowledge)など、さまざまな意味が含まれている。もしかすると、それが曖昧さの理由なのかもしれない。

一般的に「歴史認識」の問題とされる項目の例を、いくつかをあげて考えてみよう。

① 歴史的な事実を認めない

例：南京《なんきん》大虐殺はなかった、原爆投下はなかった、ホロコーストはなかった

↓歴史の否定(denial)、歴史修正主義(historical revisionism)

② 歴史的な事実は認めるが解釈が偏っている

例：先の戦争はアジア諸国に対する「侵略」ではなく「解放」だった

原爆投下は正しかった、ホロコーストはユダヤ人にも責任があった
↓歴史の解釈（interpretation）の問題、バイアス（bias）

③ 歴史的な事実そのものを知らない

例：香港の戦いを知らない、原爆投下を知らない、ホロコーストを知らない
↓歴史の忘却（forgetting）

これらの観念は、それぞれ密接につながっているが、異なるものである。しかし、「歴史認識」という言葉は、これら全部ひっくるめて使われることが多いため、指している意味や内容が曖昧になってしまうのだと思う。それが本書であえてこの言葉を使用しなかった理由だ（ちなみに、英語では「歴史認識」に該当する言葉はなく、あえて訳すならば「history problem（歴史問題）」となる）。

例えば、第八章で取り上げたテーマは、「社会的忘却」から生じる「③歴史的な事実そのものを知らない」という現象に関するものである。忘却が起こる原因としては、権力による抑圧もあるが、居心地が悪いことは思い出したくないという人間の心理の問題も確かにあるだろう。権力の抑圧の例としては、「教科書から都合の悪い記述を消す」というのがわかりやすいが、個人レベルの forgetting（忘れること）はわかりにくいのではないかと思う。

一例をあげよう。何年か前、半藤一利《はんどうかずとし》氏の『昭和史』を読んだ際、ある一文にハッとしたことがある。同書の第六章で、半藤氏は南京大虐殺はあったとし、被害者の数は三万人強だという推測を展開したのちに、こう書いているのだ。

「どうもだんだん自己嫌悪に陥りますので、これまでとしますが……」

半藤氏は、歴史的な事実を認めている。解釈だって間違っていない。彼の「歴史認識」は正しい、と言えるだろう。

でも、この件については居心地の悪い話なのでこれくらいにしたい、と書いている。これは心理的に見れば、とても正直で、自然なことに思える。私自身、このような居心地の悪さがあったからこそ、日本とアジア諸国の歴史と向き合うことを避けていた。しかし、このような心理が忘却（forgetting）につながるのだと思う。そのことを認識しない限り、「社会的忘却」は続いていくのである。

10 「歴史認識」について考えるとき、日本で一般読者が手にしやすい入門書として、法学者の大沼保《おおぬまやす》昭《あき》氏による『「歴史認識」とは何か』（聞き手 江川紹子《えがわしょうこ》）がある。しかし、同書のはじめにで大沼氏が「歴史認識」とは「考えてみれば不思議な言葉である」と書いているとおり、「歴史は無数の事実から成り立っている。わたしたちは、そこからいくつかの事実を選び取り、認識し、解釈する。

（…）歴史認識とは、どの国のどの時代にもかかわる普通名詞、あるいは一般概念である」という以上の定義はなされていない。大沼氏によれば、「歴史認識」という言葉は一九九〇年代以来、日本においては「特定の歴史」にかかわる言葉として使用されているという。つまり、「それは一九三一～四五年に日本が戦った戦争と一九一〇～四五年の朝鮮植民地支配にかかわる問題であることが多い」のだ。ただし、国会図書館の検索システムで「歴史認識」というキーワードを調べる限りでも、一九二〇年代の記事・論文においてこの言葉の使用が見受けられるので、言葉そのものはもっと前から存在していたようである。

あとがき

私は今、新型コロナウイルスのパンデミックの中、アメリカのニューメキシコ州でこの原稿を書いている。日々進展するニュースを見ていると、海外メディアは日本政府の対応を懐疑《かいぎ》的な目で見ていることがわかる。この数カ月間、世界各国の専門家たちは、日本の検査数が他国と比べてはるかに少ないことから、国内の感染状況は把握できないと結論づけてきた。このような報道を目にした日本人の中には、まるで日本という国家全体、言い換えればすべての国民が批判されたかのように捉えた人もいたようだ。批判は国民ではなく政府に向けられている、という重要なポイントを見逃しているようである。

日本やアメリカのような民主主義国においては、国民によって政治家が選ばれる。政治家は国家を代表する存在、ということになるわけだが、国民の意思が必ずしも政府によって反映されているとは限らない。アメリカのジャーナリストの多くは、自国の政府について、他国の政府への批判よりはるかに厳しい目で報道する。民主主義における報道機関の役割は権力のチェックだ、という使命感があるからだろう。そして、他国を批判する際は、国民への世論調査やインタビューを引用しつつ、「政府（指導者）」の立ち位置や方針と「国民（一般市民）」のそれとの違いを明確にする。

アメリカの歴史家が第二次世界大戦のような歴史的出来事を扱う場合も、同じように「政府」と「国民」の区別に気をつけていることがわかる。先日、コロンビア大学で日本近代史を教えている歴史家のキャロル・グラックが、近年日本で見られる歴史修正主義について語っているビデオを目にした（二〇一六年にYouTubeで公開された"Carol Gluck Discusses Pearl Harbor's 75th Anniversary and the Politics of Memory"）。その中で彼女は、「南京大虐殺（Nanking massacre）」や「慰安婦《いあんふ》（comfort women）」の問題など、日本軍が戦時中に行なった行為について、日本は真摯《しんし》に向き合うよう、中国や韓国から訴えられていると語り、さらには安倍晋三《あべしんぞう》首相がそれらの問題について否定的なメッセージを発していることについても言及した。しかし、彼女はすぐに「政府と国民の見解を区別することが重要だ」と付け加え、世論調査によれば、ほとんどの日本人が慰安婦制度は間違っていたことを認めているとも指摘したのだ。

歴史家のジョン・ダワーの著書でも「指導者」と「一般市民」が明確に区別されて記さ

れている。本書でも引用した『Embracing Defeat（敗北を抱きしめて）』では、戦後の世論調査、個人の日記、新聞に投稿された退役軍人からの便りなど引用し、複雑な国民感情や経験を掘り下げて語っている。

一方、日本国内で出版されている多くの歴史関連書では、第二次世界大戦のような「世界」を巻き込む出来事においても、このふたつの識別がほとんど行なわれないまま語られていることに気づく。しかも、焦点はあくまでも当時の「政府（指導者）」についての考査《こうさ》であり、その背景にいるはずの「国民」がなかなか見えてこないのだ。

これは言語の違いとも関係しているのかもしれない。英文では、日本全体を指すときは、「Japan」、政府を指すときは、「The Japanese government」、国民は「Japanese/ Japanese people/ The Japanese public」など、主語がはっきりしている。日本語では「アメリカは」とか「中国は」となっていることが多く、政府を指しているのか、国民を指しているのか、両方なのかが曖昧でわかりにくい。

いずれにしても、日本で出版される歴史を扱う本に「〇〇（国の名前）は」と書かれている場合、それはたいてい「政府」を指しているのだろう。では、ここに欠けている「国民」に関する情報は、どのように理解したらいいのだろうか。政府の政策は国民感情を反映していると仮定しているということか、もしくは、一般市民の経験、考え、感情などは歴史的出来事を議論する上で無関係ということなのだろうか。そもそも、他国の人々の国民性や感情を考査することなくして、第二次世界大戦を語ることが可能なのか。

グラックは、日本で出版された講義録『戦争の記憶』の中で、「一国についてだけを研究していては、戦争の記憶を理解することはできない」と述べている。第二次世界大戦は「世界大戦」であり、アメリカ対ドイツでもなければ、アメリカ対日本でもない、グローバルな視点が必要である、と。

人間とは複雑な生き物だから、一般的に政府より国民の観察や分析のほうが難しいと思う。アメリカのようにさまざまな人が住んでいる国の場合は、特にそうだ。ドイツ系アメリカ人、中国系アメリカ人、イタリア系アメリカ人、日系アメリカ人、アフリカン・アメリカン、ネイティブ・アメリカンなど、彼らと第二次世界大戦の関係性は、それぞれの民族的背景（バックグラウンド）や当時置かれていた状況などによってかなり異なる。例えば、アフリカン・アメリカンやネイティブ・アメリカンなどは、戦中に限らず戦前から差別を受けてきたし、日系アメリカ人は戦時中、強制収容所に送られた。いずれにしても彼らは二級市民扱いを受けていたわけだが、それでも自国のために戦ったという複雑な背景を抱えていた（ただし日系アメリカ人の中には徴兵を拒否した人もいた）。アメリカ人の戦争の記憶を知るためには、国民それぞれが有するさまざまな経験や感情に目を向ける必要がある。それは日本の場合でも同じだろう。

日本では政府と国民の区別が曖昧という点について、もうひとつ加えておきたいことがある。興味深いのは、戦争責任に関しては、「政府（指導者）」＝「加害者」、「国民（一般市民）」＝「被害者」という図式が明確に成り立っており、それが繰り返し伝えられてきたということだ。私も子どものころにそう教わったし、疑問視したこともなかった。

しかし、ドイツ人の哲学者、カール・ヤスパースは、ドイツ国民がナチスの蛮行《ばんこう》に暗黙《あんもく》裡《り》に加担した罪（道徳的罪）を認め、なぜそのような現実を許してしまったのか、国民ひとりひとりが良心にしたがって内省することが、ドイツの政治的自由のための必要条件である、と終戦直後の講義で述べている（『責罪論《せきざいろん》』）。

また、スイス生まれの心理学者、カール・グスタフ・ユングは、戦時中に実施されたインタビューで、ヒトラーが絶大な権力をふるえたのは、ドイツ国民がそれぞれの「無意識」を彼に投影することで支持を与えたためであり、それがなければ彼はなんの力ももたなかっただろう、と語った（『Omnibook Magazine』一九四二年二月）。そしてドイツの敗戦後、ユングは国民の苦しみを認めながらも、彼らはナチスだけに罪を押しつけるのではなく、自分たちの罪を認めなければならないと説き、ドイツ人の「collective guilt（集団的罪）」を指摘したのである（ハーマン・ウルマン宛の手紙）。

当時、民主主義国でなかった日本の場合、ドイツとまったく同じ状況にはなかった。とはいえ、トップの政治家や軍事指導者のみで、国民の支持なしに全面戦争を起こすことは可能だったろうか？　当時の、そして今を生きる日本人の「collective guilt（集団的罪）」とは何か？　これは難しい問題で、近年ではまともに議論されることさえ稀である。

しかし戦後、このようなテーマが国内でまったく扱われてこなかったわけではない。政治学者で思想家の丸山眞男《まるやままさお》は、一九五六年三月に刊行された雑誌『思想』の中で、戦争責任の問題を白か黒かの二分法で片づけることは「歴史的理解」のあり方として正確ではないとした上で、こう述べている（「戦争責任論の盲点《もうてん》」）。

問題は白か黒かということよりも、日本のそれぞれの階層、集団、職業およびその中での個々人が、一九三一年から四五年に至る日本の道程の進行をどのような作為もしくは不作為によって助けたかという観点から各人の誤謬《ごびゅう》・過失《かしつ》・錯誤《さくご》の性質と程度をえり分けていくことにある。例えば支配者と国民を区別することは間違いではないが、だからとて「国民」＝被治者《ひちしゃ》の戦争責任をあらゆる意味で否定することにはならぬ。

ここで丸山が語る「不作為で助けた」というのが、補遺で述べたcomplicityのひとつの側面、つまり「無言の加担」である。どの国のどの時代においても、極端なナショナリズムに傾倒《けいとう》し、ゼノフォビア（外国の人や彼らの習慣、宗教に対する嫌悪感）を抱くような人はごく一部であり、多くの人は中立的ないしは無関心なのだ。ホロコースト生存者のエリ・ヴィーゼルも、一九八六年のノーベル平和賞受賞スピーチの中でこう語っている。

どちらかを選ばなければいけない。中立は抑圧者を助け、犠牲者を救うことは決してない。沈黙は加害者を励まし、被害者を勇気づけることは決してない。

なお、日本では歴史家の家永三郎《いえながさぶろう》も、『戦争責任』の中でこのテーマを深く追究している。本人が言うように、この大著が書かれたのは戦後四〇年を経てようやくのことではあったが、ここで重要なのは、ユングやヤスパースがドイツ国民の集団的責任を問うことで、ドイツがより道徳的な国として生まれ変わることを望んだように、丸山や家永がそうしたのも日本の将来を願ってのことであった、ということだろう。

いずれにしても、戦争というテーマを取り巻く環境はとても複雑で、ひとつの角度から見ているだけでは答えが出ないことが多い。だからこそ、私たちは自国の記憶や歴史だけではなく、トランスナショナルに（つまり国境を超えて）記憶や歴史を知る必要がある。記憶は実際に国境を超え、未来につながっていくものなのだ。例えば、ホロコーストが、それを実行したナチスや被害者であるユダヤ人のみならず、ジェノサイド（集団殺戮）を代表する記憶となったように。ヒロシマが、原爆を投下したアメリカと被爆した日本を超えて、核戦争の脅威《きょうい》という世界共通の認識に結びついたように。あるいは、慰安婦が日韓問題を越えて、性暴力を受けた世界中の女性をつなげるテーマとなっているように……。

最後に、長い執筆の期間中支えてくれた編集者の天野潤平《あまのじゅんぺい》さんと、私に数々の戦争の記憶を共有してくれた方々に心から感謝したい。

この本を、第二次世界大戦によって犠牲になったすべての人々へささげる。

二〇二〇年四月

海外楽曲の権利一覧

P077 MY WAY
Words by GILLES THIBAUT
English words by PAUL ANKA
Music by JACQUES REVAUX and CLAUDE FRANCOIS

P077 MY WAY
English adaptation by Paul Anka
On "COMME D'HABITUDE"
Lyrics by Gilles Thibaut
Music by Jacques Revaux and Claude Francois

P098 I'LL BE HOME FOR CHRISTMAS
Words by Kim Gannon and Buck Ram
Music by Walter Kent and Buck Ram

P126 MY WILD IRISH ROSE
Traditional
Arranged by Lenny Carroll

P141 MAN IN BLACK
Words & Music by John R.Cash

米国認定音楽療法士

佐藤由美子

Yumiko Sato

／

ホスピス緩和ケアの音楽療法を専門とする米国認定音楽療法士。バージニア州立ラッドフォード大学大学院音楽科を卒業後、オハイオ州のホスピスで10年間音楽療法を実践。2013年に帰国し、国内の緩和ケア病棟や在宅医療の現場で音楽療法を実践。その様子は、テレビ朝日「テレメンタリー」や朝日新聞「ひと欄」で報道される。2017年にふたたび渡米し、現地で執筆活動などを行なう。著書に『ラスト・ソング――人生の最期に聴く音楽』、『死に逝く人は何を想うのか――遺される家族にできること』（ともにポプラ社）がある。
Twitter: @YumikoSatoMTBC
HP: https://yumikosato.com

本書は株式会社ポプラ社が運営するメディア「WEB asta*」で2019年3月から2020年2月にわたって連載された『戦争の歌がきこえる』に加筆修正し、書籍化したものです。音楽療法について、第六章、第七章、補遺、あとがきは書き下ろしになります。

戦争《せんそう》の歌《うた》がきこえる

2020年7月25日　第1刷発行

著　者　　佐藤由美子《さとうゆみこ》

発行者　　富澤凡子
発行所　　柏書房株式会社
東京都文京区本郷2-15-13（〒113-0033）
電話（03）3830-1891［営業］
（03）3830-1894［編集］

装　丁　　根本綾子（Karon）
装　画　　坂内 拓
組　版　　株式会社言語社
校　閲　　株式会社麦秋アートセンター
印　刷　　壮光舎印刷株式会社
製　本　　株式会社ブックアート

ISBN978-4-7601-5249-0
日本音楽著作権協会（出）許諾第2004766-001号